LE THÉÂTRE QUANTIQUE

Alain Connes
Danye Chéreau Jacques Dixmier

LE THÉÂTRE QUANTIQUE

L'horloge des anges ici-bas

15, rue Soufflot, 75005 Paris

www.odilejacob.fr

ISBN 978-2-7381-2983-3

À la mémoire de Robert Brout.

AVERTISSEMENT : le Cern (Conseil européen pour la recherche nucléaire) tel qu'il est décrit dans ce livre est imaginaire.

Le vrai Cern ne comporte ni amants jaloux, ni équipes concurrentes, ni budget acrobatique, ni savant fou et les accidents y sont rares. En revanche, il possède effectivement un buffet de grande classe.

La plupart des termes techniques sont expliqués dans le glossaire situé en fin de volume. Ils y sont classés par ordre alphabétique. Dans le texte lui-même, le symbole * indique le renvoi au glossaire à la première occurrence du terme.

Introduction

Le temps, qui passe inexorablement, est un problème majeur, un mystère fondamental malgré toutes les merveilleuses avancées de la science. Ce livre vise à remettre en question l'obsession historique de l'homme dont la raison exige un récit chronologique. Il se pourrait que l'écoulement du temps soit un phénomène émergent dont la racine plus profonde se trouve dans la variabilité spécifique, échappant à tout contrôle, des phénomènes quantiques, autrement dit dans l'aléa du quantique.

Nous vous invitons à entrevoir cette thèse tout en vous proposant, chemin faisant, une voie d'accès rapide et ludique à l'univers déroutant de la mécanique quantique, découverte essentielle du XXe siècle qui défie notre intuition classique. Vous vous êtes familiarisés avec des expressions piquantes, avec des mots évocateurs : fonction d'onde, états intriqués, principe d'incertitude, téléportation quantique, qui excitent votre imagination. Par moments, et pas seulement à vos moments perdus, vous vous prenez à rêver de ces photons capricieux, de ces expériences troublantes aux conclusions inattendues, mais vous n'avez pas le temps d'investir des centaines d'heures d'études difficiles de mathématiques et de physique qui, au mieux, vous feront réaliser la pertinence de la boutade de Richard Feynman :

« Si vous croyez comprendre la mécanique quantique, c'est que vous ne la comprenez pas. »

Ce livre vous offre une place de choix au théâtre quantique. Vous allez voir ce que vous allez voir. Théâtre ? Vous êtes surpris ? Alors il y a une scène quantique ? Oui et de taille : le Cern*, avec ses tunnels et ses détecteurs, ses décors, ses machinistes spécialisés, ses éclairages particulièrement étudiés. Mais là n'est pas l'essentiel, la vraie scène quantique vous ne la découvrirez qu'à la fin de l'histoire, avec ses états superposés et ses opérateurs qui agissent sans commuter ! Sur une scène, il faut des personnages. Il y en aura. Vous allez assister aux aventures initiatiques de Charlotte Dempierre, une chercheuse passionnée de physique, prête à tout. Et l'intrigue ? Elle sera policière. Soyez rassurés : elle aura un commencement, un milieu et une fin, pour satisfaire votre besoin de chronologie. Et le temps qui passe vous convaincra peut-être que l'aléa du quantique est le tic-tac de l'horloge divine.

Prêts pour l'initiation ? Pas question d'avoir peur ! Êtes-vous décidés ? Éteignez vos portables : le rideau se lève sur Venise !

CHAPITRE PREMIER

Les neuf suaires

La tentation de Venise saisit chacun tôt ou tard. Du touriste en mal de clichés à l'homme politique au chômage en passant par l'artiste branché, l'interprète de musique baroque, le romancier libertin, le créateur en fin de vie, personne n'y résiste. Même pas les amoureux attardés ni les cadres à bout de souffle.

Qui dit tentation signifie qu'on n'y va pas forcément pour le meilleur, même si l'on prétend s'y rendre avant tout pour la beauté. Là-bas le bon n'est pas garanti. On y cherche aussi le flou, l'ambigu. On y a bâti sur l'eau, parfois de travers, on y mange des risottos noirs comme de l'encre, et personne n'est capable de vous expliquer ce que voulait dire Giorgione quand il a peint *La Tempête*. Et puis, avouez qu'ils aiment tenter le diable, ces Vénitiens, en nommant leur opéra La Fenice – autrement dit le phénix. Pas étonnant qu'il parte en fumée régulièrement. Vous commencez à vous poser des questions ? Bien ! Filez à Venise. Vous allez vous immerger dans le désordre productif. Rien de tel pour vous changer les idées. Vous serez détournés de vos habitudes et échapperez à vos petites contrariétés redondantes.

C'est donc dans cet endroit troublant aux cent soixante et un canaux que Charlotte Dempierre, une brillante physicienne des hautes énergies travaillant au Cern, s'est accordé quelques jours de relâche après des semaines de travail harassant dans une atmosphère d'extrême tension. Il a fallu traverser une crise de confiance ; disons plutôt qu'elle a été, elle, cruellement traversée par une grave crise après l'accident.

La direction n'avait pas pu garder le secret sur ce deuxième accident. Les Suisses étaient impliqués et ils ne sont cachottiers que pour les comptes en banque. Par ailleurs, ils sont prudents, patients et pratiquent le suicide assisté. Il leur sera beaucoup pardonné. À la télévision, sur presque toutes les chaînes, les journalistes avaient abusé des images effrayantes ; ils prenaient un ton alarmant pour parler de dégâts considérables dans le tunnel qui rappelaient le sinistre de 2008. On évoquait les coups de grisou d'antan ; cela remuait la mémoire collective, tout comme l'inconscient collectif, très sensible à la notion de tunnel. Le premier psy venu vous le confirmera. Les gros plans sur les portes blindées tordues provoquèrent la faillite des entreprises de sécurité qui vous certifient une protection à toute épreuve contre les cambriolages si vous recourez à leur matériel indestructible. Tous les soirs, les journaux télévisés multipliaient les témoignages. L'émoi fut à son comble quand on commença à donner des explications : des champs magnétiques énormes avaient sans doute été déclenchés malencontreusement. On se posa beaucoup de questions sur ce « malencontreusement ». Le bon peuple commençait à comprendre que la sécurité restait fragile. Un rien, semblait-il, pouvait amorcer la catastrophe. Tous ces savants n'étaient que des apprentis sorciers, ils faisaient peur. Encore plus grave, ils coûtaient cher, fort cher, et il y avait sûrement d'autres moyens de dépenser plus intelligemment les sommes colossales consacrées à ces installations qui ne feraient même pas de belles ruines à visiter. Cet accélérateur précipiterait la fin du monde et on finirait tous absorbés par la matière noire*. La presse se déchaînait.

Au Cern, on voyait surtout qu'on avait pris, à nouveau, du retard sur le programme. L'espoir d'atteindre les quatorze TeV* s'éloignait, l'accident s'était produit à neuf TeV. À Bruxelles, les énarques responsables du projet s'impatientaient, eux aussi. Ils téléphonaient pour se plaindre de la gestion et attaquer le directeur, Paul Bracelet. Celui-ci pestait de son côté. Il était bien temps qu'ils réagissent, là-bas. Qu'est-ce qu'on leur apprenait dans leur école d'administration où l'on peut être admis en étant nul en maths ? À déléguer ? Ils ne s'en étaient pas privés, de déléguer, et n'avaient même pas su tirer les leçons du premier accident de 2008, pourtant si dévastateur. Pour économiser du temps et de l'argent, tous les quadripôles* n'avaient pas été changés. Il aurait été trop long de les sortir du tunnel et de les remonter dans les hangars. Quand on avait essayé de pousser la machine à son énergie maximale, un arc électrique puissant avait de nouveau provoqué une fuite d'hélium dans le tunnel. Ils avaient fait prendre un risque énorme, ces administratifs *low cost* ! La course au Big Broson* avait peut-être déchaîné les forces du mal, à Bruxelles comme au Cern. Tout le monde était embarqué sur le même bateau, il faudrait gérer au mieux la situation. Un nouveau directeur allait sûrement être nommé, excellent scientifique et à cheval sur la sécurité. Pour redresser les finances, il serait nécessaire de lui adjoindre une sorte de ministre du Budget. Des noms circulaient, les rumeurs allaient bon train.

Charlotte avait perdu le sommeil et l'appétit pendant une semaine. Sans l'aide chaleureuse de ses amis suisses, elle n'aurait pas eu le courage de se remettre à ses calculs. Ses collaborateurs avaient, eux aussi, été secoués. Tout le monde essayait de reprendre le travail, mais les images des dégâts défilaient encore devant les yeux. Il fallait les oublier, faire un break, voir autre chose. Certains partirent sur les cimes qui ne manquent pas dans la région, à des prix intéressants de basse saison. Charlotte choisit Venise qu'elle n'avait pas revue depuis une escapade musicale quatre ans auparavant en compagnie de son amant. Espérant y être dérangée par d'autres sujets que les souvenirs et les images de l'accident, elle y partit seule pour ne pas être tentée d'évoquer la barrière des neuf TeV. Elle tablait sur une rapide remise en forme puisque, tout compte fait, l'accident n'avait coûté la vie qu'au précieux matériel et n'avait fatigué que quelques neurones ici ou là, chez les administratifs surtout.

Venise lui permet de retrouver son activité physique favorite, la marche à pied. Au bout de trois jours, elle peut diminuer les doses de somnifère et se rend compte qu'elle est en bonne voie. Les particules élémentaires, ses « petits anges de prédilection » comme les appellent ses copains du Cern, ne l'ont poursuivie ni le long du Rio San Barnaba ni au Campo San Stefano.

La promenade des Zattere est sa préférée. On y respire un peu mieux l'air du large. Son portable sonne, elle hésite à répondre, elle était si tranquille !

– Allô, Charlotte Dempierre…

– Charlotte ? C'est Francesca, je suis désolée, je sais que tu ne veux pas être dérangée, mais c'est important…

– Vas-y.

– Tu sais, le fonctionnaire de Bruxelles, le grand manitou râleur qui s'est excité sur Paul Bracelet le jour de l'accident, tu te souviens de ses paroles : « Vous nous avez fait perdre beaucoup d'argent avec vos finances vermoulues, vous avez mal géré. »

– Mal géré… Ils ne connaissent que ce mot, les énarques, gérer.

– Je l'entends encore au bout du fil, Paul avait branché le haut-parleur : « Je regrette beaucoup, monsieur Bracelet, nous avons perdu toute crédibilité, notamment sur la sécurité, vous n'avez pas été à la hauteur. »

– Ce sont des nuls, ces mecs, des mous. Paul n'aurait pas dû se laisser impressionner par cet administratif ignare.

– Oui, je sais, ils apprennent surtout à déléguer, toujours déléguer, c'est leur mot, et ils abusent de leur expression magique : « faire en sorte ». « Vous auriez dû faire en sorte… » J'en ai compté trois dans la même phrase. Paul ne pouvait pas tout assumer, la sécurité, le recrutement scientifique, les finances, les relations extérieures…

– Bon alors, dis-moi ce qui se passe.

– Eh bien figure-toi que ce type me propose le poste de directrice !

– Ouah ! Tu lui as tapé dans l'œil ! Non, sérieusement, c'est énorme, tu vas accepter ?

– Qu'est-ce que tu en penses ?

– C'est à toi de voir, femme de pouvoir ou chercheuse, il faut choisir.

– Oui, mais toi, tu en dis quoi ?

– Pas une mauvaise idée. Essaie de ne pas te brouiller avec Paul, sois diplomate. Tu pourrais faire appliquer les réformes dont tu nous bassines aux réunions. Vas-y, ce job est pour toi !

– Bon, je vais réfléchir, d'autant plus qu'il m'a promis un adjoint pour les finances. Il me laisse quarante-huit heures. Dis-moi, Venise, c'est comment ?

– Divin, j'y retourne si tu permets…

– Salut, merci de m'avoir écoutée. Au fait, tu rentres quand ? Il va falloir tout organiser, on va avoir besoin de ton efficacité.

– On verra, salut.

En voilà une nouvelle ! Francesca, sa copine et collègue, directrice de la grande maison ! Pourquoi pas ? Bon pour les quotas, comme pour le quantique, une femme !

Elle arrive à la pointe de la Douane, l'endroit d'où la vue sur Venise est sublime. Il est 17 heures. Le fameux monument réhabilité par François Pinault est encore ouvert. Elle a beaucoup entendu parler de la Fondation et se décide à pénétrer dans ce lieu célébré par toutes les revues d'art contemporain. Le titre de l'exposition, *Éloge du doute*, lui semble s'adresser expressément à la partie d'elle-même qui l'éveille encore trop souvent à 4 heures du matin et la maintient dans l'insomnie le temps de faire le tour de ses préoccupations : a-t-elle vraiment compris les paroles ambiguës de son père, juste avant sa mort, quand il parlait d'horloge à bosons* ? Était-il diminué par la maladie ou lançait-il un message ? Et au Cern, y a-t-il encore une chance pour elle et son équipe de mettre la main sur le Big Broson, grâce à leurs derniers calculs, qui leur donnent une fenêtre de tir très étroite, et de battre au poteau cet Indien végétarien au regard inquiétant ? Les doutes, elle connaît. Puisque d'aucuns en font l'éloge, il faut y regarder de plus près.

Il s'agit assurément d'art hypercontemporain du dernier cri, d'artistes tels que McCarthy, Tatiana Trouvé, Thomas Schütte. À cette heure-ci les immenses et superbes salles sont désertes et les gardiens plus que discrets. Peut-être pense-t-on que personne n'aura l'idée de dérober quoi que ce soit, la plupart des œuvres atteignant des dimensions aussi prohibitives que leur prix.

Elle contemple longuement les *Efficiency Men*, trois silhouettes métalliques de Thomas Schütte. Le texte inséré dans le catalogue se veut éclairant : « Errant comme des fantômes à travers la salle en exhibant un crâne siliconé de couleur trop vive qui vire au grotesque. » Décidément, la condition humaine est bien désolante, se dit-elle une fois de plus. Pourtant, si ces trois lascars étaient chercheurs scientifiques et couraient après le Big Broson, ils n'auraient pas l'air si accablé. Continuons la visite, l'architecture est grandiose, admirable. Ce Tadao Andō a parfaitement réussi cette réhabilitation. Il faudra que j'en parle à Francesca, elle doit connaître l'endroit, elle qui raffole d'art contemporain.

À travers les larges baies, elle voit disparaître le soleil derrière la Giudecca en se rendant dans la salle des Cattelan, l'agitateur, le trublion qui a plus d'une fois défrayé la chronique artistique par ses réalisations morbides. Les mannequins d'enfants pendus dans des arbres n'étaient

All, de Maurizio Cattelan, Fondation François Pinault, Venise.

pas passés inaperçus. Elle s'attend à du *gore*, elle en a et en pâlit.

Sur le sol vert-de-gris à l'aspect glacé reposent neuf linceuls de marbre blanc, du pur Carrare, aux formes individualisées. On pourrait parler de gisants recouverts de suaires marmoréens aux plissés plus ou moins travaillés, mais aux dimensions semblables :

29,8 × 100,3 × 198,1 centimètres

On imagine le pire en dessous ! Choquée, elle hésite à s'approcher. Pour échapper au malaise et à la nausée qui s'annoncent, elle convoque en urgence quelques réflexions scientifiques. À son niveau, on peut s'offrir le luxe d'avoir des secouristes d'autant plus efficaces qu'ils sont plus sophistiqués. La voilà donc sauvée par le fameux couplage quantique* et par les diagrammes de Feynman* qui y sont reliés. Grâce à la question : sont-ils unitaires ?, elle échappe à l'évanouissement. Qui dit mieux, messieurs les spécialistes de la pharmacopée ? Les diagrammes de Feynman comme cordial, on aura tout vu ! Elle commence à s'habituer à l'anormalité du lieu, ose contempler l'œuvre d'art, retrouvant une respiration régulière sinon apaisée. Son regard fasciné se perd dans les plis des linceuls adjacents. Elle se dit qu'elle préfère son métier de chercheuse scientifique à celui d'artiste obligé de creuser toujours plus avant dans l'humain pour atteindre une certaine nouveauté, rarement enthousiasmante, quitte à s'exposer au désaveu du public parfois pressé de prendre la fuite à toutes jambes, comme le groupe du festival de musique baroque, après la syncope de deux participants. Depuis, les visites-conférences évitent cette salle.

Ses collègues et elle-même veulent comprendre l'infiniment petit, les tours et détours de l'Univers. Certes, ils prennent de gros risques, l'histoire en fournit de nombreux exemples et l'on peut y côtoyer la mort mais pas la morbidité – du moins pas encore.

Un peu apprivoisée, elle s'approche du neuvième linceul, le plus voisin de la fenêtre, afin de se prouver que sa curiosité est intacte. En l'examinant de près, elle croit percevoir un murmure, comme une voix lointaine – pas exactement d'outre-tombe, point trop n'en faut –, mais au timbre agréable. Difficile de dire d'où vient le son. Le débit régulier et le ton assuré l'engagent à prêter l'oreille : une voix de femme. Est-ce un commentaire de l'œuvre, gracieusement offert au visiteur et se déclenchant quand celui-ci ose s'approcher, une sorte de récompense pour l'amateur éclairé et sans peur qui, du coup, mérite d'être davantage éclairé ? Cela ressemble en effet à des explications, à une espèce de conférence. Il ne s'agit pourtant pas d'art, et les termes employés rappellent quelque chose à Charlotte. Elle en saisit certains comme « unitarité* », « complétude* ». Étrange, elle a l'impression de bien connaître cette voix de femme sûre d'elle… Quand les paroles deviennent plus nettes et qu'elle distingue des explications établissant que seul le boson de Brout, Englert, Higgs peut restaurer l'unitarité, elle éclate d'un rire nerveux, presque hystérique. Elle est affolée. Ne déraille-t-elle pas ? Sa dernière conférence donnée au Cern un mois auparavant est en train de lui sauter aux oreilles. Diable ! Elle parlait de la complétude du modèle standard* ! Elle a peur d'être encore très surmenée.

Douter ou ne pas douter ? Est-elle victime de la fameuse petite voix qui trouble le repos du schizophrène ? NON ! Puisque le discours ne s'adresse pas à elle, mais aux participants du colloque. Quelqu'un a pu enregistrer son exposé, d'ailleurs très brillant, avait-on dit dans la communauté scientifique. Soit, mais le retrouver à la Punta della Dogana... Elle tente de reprendre ses esprits en se dirigeant vers la fenêtre d'où elle espère avoir une vue rassurante, familière, sur San Giorgio Maggiore. Nouveau choc ! Un énorme bateau de croisière bouche entièrement la vue. Peu de mètres le séparent de la galerie, et son nom, *Costa Paradisio*, a l'air de la narguer comme ces énormes monstres marins narguent et menacent la ville de Venise en provoquant des remous très dangereux pour ses soubassements. Elle a lu des articles à ce sujet ; la polémique bat son plein.

La scientifique surmonte l'angoisse de la femme. Il faut continuer à écouter. Dans le fond, c'est excitant. Elle y prend goût. Bientôt, une voix d'homme avec un accent scandinave épaissit le mystère :

« Savez-vous où vous mettez les pieds ? »

À la fin de son exposé, il y avait eu de nombreuses réactions. Elle est incapable de se rappeler toutes les interventions, mais, à coup sûr, personne ne l'avait interpellée de cette manière.

Un peu flageolante, elle gagne la sortie, sans lever les yeux sur le cœur en acier inoxydable de Jeff Koons dont le cramoisi intense aurait pu redonner des couleurs à ses joues blêmes. L'escalier lui paraît interminable et après un timide Ciao à la fille de la caisse, impatiente de fermer la boutique, elle se dirige vers l'église de la Salute qui se trouve à deux pas de la Punta della Dogana. Elle n'aime pas particulièrement son style baroque, mais a envie de s'y reposer un moment avant de rejoindre son hôtel.

Le monument est en restauration, des ouvriers s'affairent sur les statues encerclant la coupole. Certaines sont très endommagées et en équilibre instable. Un cordon de sécurité a été installé, avec un écriteau, confectionné à la hâte :

CHAPITRE 2

La modification

Le Venise-Genève part à 22 h 09. Charlotte n'a pas eu de difficulté à trouver un single. Hors saison, on improvise facilement. D'ailleurs peu de voyageurs prennent encore le train, outre les nostalgiques, bien sûr, et les cardiaques. Les statistiques de la SNCF et de la SBB tiennent-elles compte de cette dernière catégorie ? Le wagon-lit est presque vide. Charlotte a grand besoin de dormir et de réfléchir. Rien de tel que le train qui vous berce et qui, par ses vibrations, favorise la pensée. Un célèbre voyageur l'a très bien dit.

Elle commence par somnoler. Des images surprenantes défilent dans sa tête : la Salute avec ses anges déchus, le Grand Canal, désert, la Punta della Dogana illuminée. Elle avait à peine jeté un coup d'œil à la statue du Vater Staat de Thomas Schütte, devant la porte d'entrée principale. On disait qu'il ressemblait à François

Pinault. Maintenant elle revoit vaguement sa silhouette, cette espèce de robe de chambre en bronze, et regrette de ne pas s'être arrêtée.

À force de repousser l'image des neuf suaires, elle s'endort peu après Padoue. Sommeil de plomb…

Il fallait qu'elle fût exténuée pour dormir en wagon-lit. D'habitude elle ne fermait pas le rideau de la fenêtre et s'installait sur sa couchette, la tête appuyée contre son maigre oreiller, le cou un peu tordu, pour voir défiler le paysage nocturne. Elle était aux anges quand il y avait pleine lune. La vitesse raisonnable des trains à l'approche des gares lui permettait de saisir de nombreux détails. Les banlieues l'intéressaient, les fenêtres éclairées satisfaisaient ses penchants de voyeuse. Elle adorait apercevoir les gens en train de dîner ou de se coucher. Traverser les petites gares, distinguer quelques lumières faibles, quelques panneaux portant le nom de bourgades inconnues où elle ne s'arrêterait jamais, lui procurait un immense plaisir. Elle n'aurait pas su dire pourquoi.

Quand elle s'éveille, le train longe le lac Majeur. Au loin, elle distingue Isola Bella, à peine éclairée. La lune d'automne accentue son aspect romantique. Les fleurs rares du merveilleux jardin, y compris les plantes carnivores, clou du spectacle, doivent être au repos en cette saison. Son esprit revient au mystère de l'enregistrement. Comment avait-il pu se retrouver dans la salle des Cattelan ? À l'évidence, on n'attendait qu'elle pour le déclencher. Qui savait qu'elle se trouvait là, d'où venait le son ? La question « Savez-vous où... » était inquiétante : un avertissement, une intimidation ?

Sa dernière conférence avait attiré beaucoup de monde au Cern, un public international, comme d'habitude : ses collègues et amis du Cern, ses collègues et ennemis du Cern, le Tout-Princeton, le groupe russe, une poignée de Chinois, une demi-douzaine de Japonais, et l'Indien, bien sûr, son concurrent direct au Cern, qu'elle manque d'oublier, peut-être parce qu'il est végétarien et qu'elle déteste le tofu.

On longe toujours le lac. Un reflet vert sur l'eau miroitante lui rappelle les nuits d'août à Varenna et elle se souvient de l'école d'été à la Villa Monastero, quatorze ans auparavant.

Elle avait 21 ans et participait à cette école en tant que doctorante en physique théorique, recommandée au directeur par son patron qui l'appréciait et croyait en elle. La Villa est un ancien monastère situé sur le bord du lac de Côme, en face de Bellagio, et propriété de l'Université italienne comme nombre d'endroits de rêve où celle-ci organise colloques et congrès, pour le plus grand plaisir des conjoints des participants. Pas question pour ces personnes disponibles et dévouées de passer à côté d'un séjour au Palazzone de Cortona, à la Villa Mondragone de Frascati, ou dans l'une des merveilleuses chartreuses reconverties en lieu de culte scientifique et laïc ; la Villa Farnésine restant le plus couru de ces délicieux monuments couverts de fresques et « encombrés » de statues pléthoriques, lieux magiques où souffle encore l'esprit de la Renaissance, cosmopolite et ouvert au progrès. Les conjoints, malgré leur dévouement, renâclent souvent à suivre leur moitié outre-Atlantique où ni le passé artistique ni la cuisine ne sont tout à fait à la hauteur, il faut bien le reconnaître. Si des choses fantastiques se passent à Princeton, cette mecque de la science moderne qui n'a pas épuisé le lot de surprises qu'elle réserve à l'humanité, et même si l'on y trouve de tout, comme à la Samaritaine jadis, force est de constater qu'il est plus savoureux de déguster un *tartufo* Piazza Navona qu'un hamburger dans un self de Nassau Street.

Le directeur de l'école cette année-là était Denis Carissimo, au nom prédestiné et néanmoins français, homme d'un charme fou et d'une classe rare. Très cultivé et plein d'humour, il avait un tempérament romantique. Autre rareté à son actif, il était encore très amoureux de sa femme, une personne hors du commun, elle aussi. Leur couple forçait l'admiration par son harmonie. Charlotte se demandait alors si son couple à elle atteindrait cette qualité quand elle aurait trouvé un mari. Pourquoi pas ? Malheureusement, aujourd'hui, elle a la réponse et constate à quel point elle était naïve.

Elle est émue en pensant à cette époque, revoit les lauriers-roses du jardin, le banc caché derrière l'eucalyptus d'où elle admirait le lac et croyait apercevoir Grianta* le livre de Dirac sur les genoux. Elle n'a jamais senti aussi fort qu'à cet endroit sa jeunesse et sa liberté. Une vraie caverne d'Ali Baba, cette école. Les meilleurs spécialistes du sujet à votre disposition pendant les pauses café, détendus, répondant volontiers à vos questions, les Italiens avec moult gestes et des sourires malicieux, les Scandinaves sans remuer les mains mais sans air supérieur. Certains grands pontes la gratifiaient même d'un léger salut, trace d'une politesse surannée. Avec les Américains, on aurait été à tu et à toi si leur langue avait comporté ces signes de complicité. C'était cool, d'un naturel exquis.

La Villa Monastero avait une âme. Désertée par les religieux depuis le XIXe siècle, elle n'avait renoncé ni à la pureté ni à la spiritualité. L'harmonie du lieu, sa beauté auraient parfaitement servi d'écrin à quelques tableaux de l'Angelico. Hélas, ses spacieuses salles n'en possédaient aucun. On se prenait à le regretter. Pourtant, ce fut bien une esquisse d'ange, qui plus est en chair et en os, qui sauta aux yeux juvéniles de Charlotte pendant une conférence de la première semaine. Il était assis deux rangs devant elle, à l'extrême gauche, et prenait des notes avec application, buvant les paroles du conférencier japonais. Elle eut un choc en apercevant son profil droit. Là, devant elle, se trouvait assis et immobile un ange musicien – sans instrument, mais qu'importe ! – échappé du couvent de San Marco à Florence. Stupeur, rougeur, pâleur… le grand jeu !

Comme elle était déjà très rigoureuse et savait que, pour être valable, une expérience se doit d'être confirmée, elle se débrouilla pour vérifier que l'autre profil tenait les promesses du premier. Sa joie fut à son comble quand elle croisa le jeune homme dans le couloir et se retrouva face à lui. Plus de doute, un ange de Beato Angelico avait posé ses ailes à la Villa Monastero et il était suisse de surcroît ! Cela ne gâterait rien ! L'idylle dura les quinze jours de l'école d'été et la conforta dans l'opinion qu'elle avait d'elle-même, à savoir qu'elle aimait l'art de la Renaissance italienne.

À Varenna, elle avait appris beaucoup de choses. Les groupes de Lie* lui avaient bien résisté, mais, grâce à son opiniâtreté, elle en était venue à bout. Tout lui paraissait intéressant, elle engrangeait des connaissances dans l'alacrité. Elle faillit devenir sentimentale. Le paysage enchanteur s'imprimait sur certains théorèmes et plus d'une démonstration garda longtemps pour elle le parfum des lavandes au milieu desquelles elle l'avait lue.

Ce train à l'ancienne la berce. Dans un demi-sommeil, elle revoit cette lumière de fin d'après-midi, si particulière, qui vous donne envie de vivre heureux ; une impression de légèreté, d'apesanteur même, semblable à celle que l'on ressent devant certains tableaux, comme si le peintre, Tiepolo par exemple, s'était libéré de la loi de la gravité.

Le train freine, elle est rappelée à l'ordre des choses par le souvenir des marbres de Cattelan. Lui, pense-t-elle, a choisi d'insister sur le côté pesant, en y mettant le paquet. C'est vrai que l'on fait tous partie du champ gravitationnel*, *no way*... Dans cet état de demi-sommeil où l'esprit critique n'a pas droit de cité, elle tente de se replonger dans ses réminiscences angéliques, teintées de sensualité. Parfois, elle arrivait à reprendre le fil de ses rêves mais seulement le matin ; elle n'y parvient pas cette fois-ci... Elle est distraite, comme par un regard indiscret posé sur elle. Elle allume la veilleuse. Pas de doute, il n'y a personne d'autre dans son compartiment. Lentement, elle réalise que ce qui la dérange ne vient pas de l'extérieur, mais de l'intérieur : un murmure un peu confus, qui l'incite à repenser à son sujet de recherche actuel : le Big Broson...

Après tout, en voilà un objet pesant ! se dit-elle. En gros, sa masse devrait être un milliard de fois plus grande que celle du boson de Higgs. Au fait, pourquoi avoir été si paresseux en l'appelant seulement Higgs, alors que Brout et Englert en sont eux aussi les inventeurs ? Quelques syllabes de plus à prononcer auraient-elles épuisé les gens ? Sa pensée chemine plus libre que si elle était vraiment éveillée et elle se laisse guider par cette gêne qu'elle a ressentie : si le « Big Broson » est si lourd, c'est qu'il joue un rôle essentiel pour donner aux neutrinos* une masse si petite qu'elle est presque impossible à mesurer ; subtil mécanisme, bien connu des physiciens qui l'appellent « mécanisme de la balançoire » : une masse énorme peut être à l'origine d'une masse minuscule. Bien, soit, mais le « Big Broson » n'est pas comme les autres et fait vraiment partie de la gravitation, il faut en tirer toutes les conséquences !

La théorie de la gravitation l'avait toujours fascinée par son incompatibilité apparente avec la physique quantique. Et pourtant… Elle se remémore ce merveilleux épisode du dialogue entre Einstein et Bohr qui prit un tour dramatique lors du congrès Solvay en 1930.

Einstein était arrivé au congrès avec une de ces expériences de pensée* dont il avait le secret. Grâce à un mécanisme d'horlogerie qui n'était pas sans rappeler le « coucou » des horlogers suisses, il semblait avoir réussi à contredire le principe fondamental de la mécanique quantique, le principe d'incertitude de Heisenberg qui implique une limite sur la précision avec laquelle on peut connaître simultanément la date et l'énergie d'un événement comme l'émission d'un photon. Le coucou suspendu à un ressort est minutieusement pesé avant et après avoir émis un photon, ce qui permet de déterminer l'énergie de ce dernier, et simultanément l'heure précise de l'émission qui reste indiquée sur la pendule.

L'idée d'Einstein obtint un franc succès, et Charlotte revoit dans son demi-sommeil cette photo si éloquente qui le montre sortant fièrement de la réunion suivi d'un Bohr tout dépité. Einstein utilisait sa fameuse relation entre masse et énergie, ainsi qu'une pesée avant et après l'expérience et, comme la constante de gravitation* était impliquée, il semblait totalement impossible que la relation d'incertitude de Heisenberg, qui n'a rien à voir avec cette constante, fût valide pour cette expérience de pensée.

Mais Bohr ne s'avoua pas vaincu, il dormit bien peu cette nuit-là. Il eut l'illumination qui lui montra la solution : en fait, le temps ne s'écoule pas de la même manière quand on change d'altitude, et cela on le comprend quantitativement grâce à la relativité générale* d'Einstein ! Du coup, on doit tenir compte de la relativité générale dans l'expérience de pensée d'Einstein car le coucou change d'altitude ! Eh oui ! Il change d'altitude. Bohr fit le calcul fébrilement et vit la constante de gravitation disparaître du résultat final. Il trouva pile la relation de Heisenberg. Incroyable ! Si Einstein s'en était tenu à la relativité restreinte*, et n'avait pas développé la relativité générale, on aurait pu croire que son

Boîte à photons de Bohr-Einstein.

exemple détrônait la mécanique quantique, mais en fait il était vaincu par ses propres armes !

Bohr revint victorieux le lendemain matin et montra comment l'exemple concocté par Einstein n'était qu'une confirmation de plus du principe d'incertitude. Cet exemple parlait beaucoup à Charlotte car il indiquait clairement une compatibilité entre le quantique et la gravitation. Elle avait toujours envié, chez certains savants bénis des dieux, ces instants de fulgurance où l'intuition précède légèrement le raisonnement et procure au cerveau une joie intérieure sans équivalent.

Le temps passe, les arrêts en gare se répètent avec une précieuse monotonie et son esprit continue à vagabonder.

Le train roule maintenant dans l'étroite vallée du Rhône. Le paysage est chaotique. Sur les pentes escarpées, d'énormes rochers aux formes bizarres donnent l'impression d'être prêts à débouler. Brusquement, et d'une manière indépendante de sa volonté, ses réflexions s'orientent dans une direction totalement nouvelle. Quelqu'un, quelque chose… la guide. Et c'est l'illumination ! Elle en ressent une secousse dans tout son être.

Au-delà de l'intense excitation provoquée par son idée, elle éprouve une angoisse difficile à contrôler devant les applications potentielles. Il n'est plus question de dormir et elle passe le reste du voyage à laisser les Alpes suisses défiler devant ses yeux…

CHAPITRE 3

Le temps retrouvé

Il est un peu plus de 8 heures quand le train la dépose sur un quai mouillé et glissant. Les taxis sont rares, elle doit patienter dans le froid. Arrivée chez elle, elle est frappée par la propreté de son deux-pièces où tout est parfaitement rangé. Vénitienne, elle a pris goût à la désinvolture et au laisser-aller, a même senti qu'un certain à-peu-près, bien dosé, facilitait la pensée. Hésitante, elle commence par déplacer les deux statuettes africaines qui encadrent scrupuleusement une photo de Bertram et d'elle et se dit en souriant qu'elle aussi peut briser la symétrie*. Elle frissonne. Son imperméable trempé se retrouve sur la table basse et ses escarpins sous le canapé. Vite, se faire couler un bain à l'extrait de marron d'Inde, pour se réchauffer…

C'est dans sa baignoire qu'elle réfléchit le mieux. Combien de théorèmes, mais aussi combien de rhumes n'a-t-elle pas attrapés à force de s'y prélasser en laissant l'eau refroidir ! Le marron d'Inde détend ses muscles. Depuis l'illumination du train de nuit, elle a l'impression de porter en elle un trésor, fragile comme un enfant, mais surtout angoissant. Il lui faudra vérifier des points précis dans des ouvrages de référence à la bibliothèque du Cern. Attention ! Les gens viendront l'interroger sur son voyage, puis elle devra parler boutique, échanger, discuter... Gare aux discussions ! Gros risque d'en dire trop sur une idée qui ne doit pas tomber dans n'importe quelle oreille, d'autant plus que l'acuité auditive des scientifiques est supérieure à la normale. Elle a déjà pâti d'emprunts abusifs pratiqués par des rapaces à l'affût. On pique de plus en plus dans le milieu, loi de la jungle oblige : « *Publish or Perish* », ou pire : « *Public or Perish* » !

En elle vit un secret explosif, « superbe et généreux », elle doit le protéger avec des précautions d'agent secret. Pourtant, elle ne peut pas s'isoler complètement, son équipe a besoin de son leadership, de sa vision des choses en physique des hautes énergies. Elle appelle un taxi et se fait conduire au Cern. Les embouteillages sont fréquents, et le chauffeur, suisse, respecte à la lettre le code de la route. Elle a donc le temps de réfléchir et constate que ses idées sont légèrement brouillées par une sorte de message intérieur, semi-conscient, qu'elle ne parvient pas à déchiffrer. Elle arrive enfin, le chauffeur n'aura pas de pourboire.

Dépassant la loge du concierge, elle se dirige à grands pas vers la cafétéria, une salle vaste et claire, dans laquelle des tables rectangulaires permettent aux chercheurs de se réunir par groupes de sept ou huit. Le centre de la pièce est occupé par un imposant buffet ovale. Les mets sont bons et même raffinés, et chacun vient s'y servir librement. Cinquante à soixante chercheurs dégustent lentement leur breakfast, et surtout poursuivent des discussions bruyantes sur tous les sujets imaginables. Quelle assemblée cosmopolite, songe une fois de plus Charlotte en les contemplant un moment. Dieu, sans doute, s'est repenti de la mauvaise blague perpétrée pendant la construction de la tour de Babel : depuis une cinquantaine d'années, il a autorisé les humains à employer un langage commun. Tous ici parlent anglais. Charlotte saisit des bribes de conversation, dans un anglais nasillé, désossé, torturé… mais si commode – et pas mécontent de sa position dominante. Elle aperçoit, près de l'oranger en caisse, les trois membres principaux de son équipe : Ranee Gandhi, une jeune Indienne aux traits fins, Manuel Cervantes, Andalou au regard fier et Valentino Picci, Italien pur sucre, passionné de chant. Ils l'accueillent chaleureusement : Charlotte qui, après tout, n'a que 35 ans, est une directrice de recherche, simple et souple, amicale, mais parfois exigeante et brutale.

– Avant toute chose, dit-elle, je voudrais un café noir bien chaud, et un croissant… ou plutôt deux croissants.

Picci se précipite, et les trois jeunes chercheurs contemplent avec plaisir leur patronne en train de se restaurer. Cette belle femme blonde aurait pu choisir un métier différent, faire du théâtre par exemple. Sa présence au monde et sa ténacité lui auraient sûrement valu beaucoup de succès, mais la recherche scientifique était sa vocation. Elle y a consacré sa vie sans hésiter.

La conversation s'engage, libre comme à l'accoutumée de tout tabou et de toute hiérarchie.

– Combien de beaux Vénitiens, demande Cervantes, as-tu entraînés sur tes gondoles ?... Non, ne t'inquiète pas, ajoute-t-il comme Charlotte jette un regard circulaire, Young n'est pas dans les environs.

La question malicieuse de Cervantes s'explique : Charlotte ne dédaigne pas les liaisons passagères ; vu sa beauté, elle n'a que l'embarras du choix, même en se limitant au Cern ; elle s'interdit seulement de draguer parmi les chercheurs les plus proches.

– J'ai été très déçue par les Vénitiens, dit-elle : ils portent tous en permanence une mandoline, et c'est malcommode pour certains ébats.

Picci proteste pour la forme au milieu des rires. Puis il ajoute :

– Tu es au courant du changement de direction ? Bracelet est définitivement viré, ta copine Francesca le remplace.

Charlotte, qui ne veut pas parler de sa conversation téléphonique, fait mine d'être surprise.

– Tiens, observe Cervantes à voix basse, voici Tom. Il sort justement de chez Francesca, il n'a pas été long à courtiser les nouvelles puissances.

Tom, ou pour parler plus correctement, le professeur Tomachandraram, 60 ans, est issu d'une longue lignée de brahmanes. Il accepte d'être appelé « Tom », ayant mesuré sans doute le caractère encombrant de son patronyme. Mais il a froncé le sourcil quand, un jour, Cervantes l'a appelé « Tommy », et depuis on ne s'y risque plus que derrière son dos.

Tom rejoint ses postdocs* : Hermann Bruckner, Linus Hödhr, Ciprian Lucescu. Ah non, remarque Charlotte, Lucescu est absent, bizarre. Cette équipe est la concurrente directe de celle de Charlotte. Les rapports sont courtois, mais l'information scientifique ne passe des uns aux autres qu'avec réticence.

– Autre nouvelle, dit Ranee, un milliardaire russe a créé un prix pour physiciens : trois millions de dollars, s'il vous plaît ! Et les premiers lauréats sont neuf spécialistes de la théorie des cordes.

Cette fois, Charlotte est réellement surprise. Et mécontente, car la théorie des cordes n'est pas sa tasse de thé ; son principal défaut étant qu'elle paraît, pour l'heure du moins, infalsifiable.

Ranee, ouvrant un journal qui traîne, lui dévide la liste des neuf gagnants. Charlotte repense aux neuf suaires… Elle en est vaguement révulsée, car Venise, songe-t-elle, devrait plutôt lui rappeler les Neuf Sœurs.

– Et ce sont les neuf récipiendaires qui attribueront les prix suivants ! dit Picci.

Cervantes sourit, une idée plaisante vient de lui traverser l'esprit :

– Finalement, les Russes se contentent de toujours reproduire le même système politique. Ne viennent-ils pas de recréer le Politburo ?

Tous éclatent de rire, puis Charlotte hausse les épaules. Elle sait bien que les récipiendaires de ce prix l'échangeraient volontiers contre une quelconque vérification de leurs spéculations abstraites par une expérience sur la réalité physique.

Revigorée malgré tout, elle se lève pour aller faire dans son bureau les recensions qui lui paraissent les plus urgentes. Passant à côté de Tom, elle lui demande des nouvelles de Lucescu.

– Hospitalisé, répond Tom. On espère que ce n'est pas grave.

Charlotte oublie brusquement ses collègues, la cafétéria et tout ce qui l'entoure. C'est une autre vision qui la submerge. L'hôpital... Son père sur son lit de mort... Ses derniers mots concernant une horloge à bosons. Mais bien sûr ! C'était le point de départ de ses réflexions sur la mécanique quantique. Voilà le message indéchiffrable qui la taraudait ! Elle remercie les mânes de son père et s'éloigne, soulagée mais encore un peu secouée. Elle attendra quelque temps pour discuter ses nouvelles idées avec Cervantes et les autres.

CHAPITRE 4

L'amour baroque

Le soir même, la jeune femme avait invité Bertram Young chez elle. Bien que leur liaison fût quasi officielle, elle trouvait plus amusant de recevoir son amant dans son appartement. En bonne féministe peut-être voulait-elle aussi assumer sa liberté, quitte à s'attirer quelques généreux commentaires de la part de ses voisins : « Il est sympathique, le monsieur qui vient vous voir, l'autre soir il m'a aidée à chercher ma clé. En voilà un homme prévenant ! »

Leur histoire était assez banale et appartenait au genre « quand une chercheuse rencontre un chercheur... ». Elle n'avait rien de romanesque ni de romantique. Dans cette sorte de relation amoureuse, le galant homme est celui qui se déplace. Il y trouve d'ailleurs son compte puisque « le meilleur moment de l'amour, c'est quand on monte l'escalier », comme l'a dit Clemenceau... Au début de leur liaison, Bertram s'interdisait l'ascenseur ; depuis six mois, il préfère presser le bouton de l'appareil et garder son souffle pour après.

Young est canadien. Il a fait ses études à Calgary, la ville des rodéos, du grand ouest et des chevaux indomptables, comme sa jalousie. Chercheur très civilisé par ailleurs, il semble parfois un peu primaire à ceux qui manient l'ironie socratique. Il a rencontré Charlotte au congrès de Saint-Pétersbourg. Grâce à ses avancées en mécanique quantique, un poste important lui a été offert au Cern.

Cette fois, il n'apporte pas de fleurs – les voisins l'ont surnommé l'« homme aux tulipes blanches » –, mais un livre.

Le papier cadeau est d'un goût achevé, tout en camaïeu, avec des tons d'une délicatesse exquise. Un gris perle lumineux répond à un anthracite scintillant, comme un lointain écho estompé par un accord discret entre le blanc cassé et l'ardoise angevine. Bertram a l'impression d'avoir trouvé un cadeau original, il l'a discrètement commandé sur Amazon. Ça va lui plaire, se répète-t-il un peu inquiet.

Charlotte ouvre la porte avec empressement. Il la regarde, sourit, la prend dans ses bras et ne rompt l'enlacement que pour lui offrir le paquet cadeau. Elle aussi sourit, l'observe. « Quelle bonne idée !, dit-elle en soupesant le présent, un livre ? J'espère que j'aurai assez de loisir, il a l'air long, une saga ? »

Le temps s'arrête. Bertram fantasme sur les fines mains racées qui s'activent sur le bolduc, pendant qu'une sorte de duo muet se met en place où les « pourvu que » s'accumulent et se répondent. Puis un bruit de violente déchirure, presque cruelle, et c'est la catastrophe.

Du merveilleux camaïeu si distingué sort, comme un diable de sa boîte, *Cinquante nuances de Grey*, le best-seller de E. L. James, porno pour ménagère...

Toujours aussi gaffeur ! se dit-elle mécontente.

Bertram a saisi l'éclair d'ironie mordante dans les yeux pervenche. Il nage déjà dans la déconfiture.

Elle hésite à l'envoyer balader, ne voulant pas compromettre son projet de discussion avec ce spécialiste de la mécanique quantique.

– Tu crois vraiment que je peux être intéressée par un livre pareil ? Tu me vois fréquenter les sex-shops ?

– Tu l'as lu ? réagit Bertram.

– Non, j'ai parcouru un extrait dans *Le Monde*, cela m'a suffi.

– Je suis désolé, j'ai pris mes désirs pour des réalités, j'ai tout faux, je m'en veux, tu es fâchée ?

– Même pas, dit-elle en jetant le bouquin sur la table basse avec un sourire narquois. Allez, détends-toi, je te sers un verre de scotch ?

– Oui, volontiers.

– Avec un glaçon ?

– Pour quoi faire ? dit-il d'un air entendu.

Elle éclate de rire.

– Ce qui me plaît chez toi, c'est que tu ne boudes pas…

Elle lui caresse le cou et se blottit dans ses bras.

Quelques instants plus tard, elle lui dit en l'entraînant dans sa chambre :

– Viens, je vais te faire écouter un CD que j'ai déniché à Venise.

Charlotte installe le disque avec un geste gracieux et l'on entend :

Non partir, Signor, deh non partire.	*Ah, ne pars pas, Seigneur.*

– C'est un opéra ? baroque ?

– *Le Couronnement de Poppée*, Monteverdi, version Harnoncourt, 1974.

– Tu l'as trouvé où, à Venise ?

– Chez un vieux disquaire du Dorsoduro.

– Toute seule ?

– Je suis allée seule à Venise et j'y suis restée seule !

– Tu passes ton temps chez les disquaires à Venise ?

– N'aggrave pas ton cas, écoute !

Adorati miei rai,	*Mes rayons adorés,*
Deh restatevi omai !	*ah, ne me quittez pas !*
Rimanti, o mia Poppea,	*Reste, ô ma Poppée,*
Cor, vezzo, e luce mia…	*mon cœur, mon charme, ma clarté*

Sabina Poppea. Anonyme, musée d'Art et d'Histoire, Genève.

On est davantage à Venise en 1643 qu'à Rome en 62 ; Poppée et Néron sortent d'une étreinte torride. Ces deux-là ne peuvent s'arracher l'un à l'autre, la musique le dit mieux que le texte...

L'opéra durant plus de trois heures, Charlotte et Bertram se contentent du premier acte.

Come dolci, Signor, come soavi
Riuscirono a te la notte andata
Di questa bocca i baci ?
......
Più cari i più mordaci.
......
......

Un peu plus tard, allongé près d'elle, il lui demande d'une voix attendrie :

– Raconte-moi ta Venise.

– Tu sais, je n'ai pas la tête à cela, je suis sur une piste. Une partie de mes interrogations concerne le Big Broson et je bute sur un problème d'interprétation de la mécanique quantique. Je sais que tu as beaucoup réfléchi à ce genre de questions et j'aimerais essayer de comprendre ton point de vue.

– C'est vrai que l'on a beaucoup de mal à accepter le « message » du quantique, mais on peut l'énoncer sous forme d'une boutade à la Feynman* :

« Le réel est la superposition
de tous les possibles imaginaires. »

Le fait est que la théorie, formulée en termes mathématiques, ne permet que de donner la probabilité des « possibles » et renonce à donner des prédictions certaines. C'est difficile à avaler et à réconcilier avec le bon sens classique !

– La nuit dernière, dans le train, je me remémorais la discussion entre Bohr et Einstein, tu sais, quand Bohr avait réussi à convaincre Einstein de la validité du principe d'incertitude en utilisant la relativité générale.

– Tu vas un peu vite, Einstein n'a jamais été vraiment convaincu. Il restait réticent, non par scepticisme ou par ignorance, pas plus que pour avoir le dernier mot. En fait, la mécanique quantique occupait ses pensées largement autant que la relativité, mais il éprouvait toujours un malaise (*Unbehagen*) devant l'interprétation que l'on en donnait et le principe d'incertitude. Peu de temps après l'épisode dont tu parles, il écrit un article avec deux autres physiciens dans lequel il montre, disons, que « le quantique nous prédit non seulement un futur incertain, mais aussi un *passé incertain* » !

– J'admets volontiers que les principes de la mécanique quantique limitent la possibilité de prédire, par exemple, la trajectoire future d'une particule, mais que le passé ne puisse être décrit avec précision me laisse perplexe.

– C'est pourtant bien ce qu'ils montrent, toujours à l'aide d'une « expérience de pensée ». Ils en concluent que la mécanique quantique implique une incertitude sur les événements passés entièrement analogue à l'incertitude sur le futur !

– Diable ! Un passé qui bouge encore !...

– Bien sûr, je sais que ce n'est pas facile à intégrer...

– Je propose un verre de margaux pour faciliter l'intégration.

Le vin, dont la qualité rivalise avec celle de la musique, les conduit à poursuivre leur soirée dans l'euphorie intellectuelle. Charlotte connaît parfaitement les vertus de ce grand bordeaux. Bertram reprend :

– L'histoire est loin d'être terminée. Deux ans plus tard, Einstein revient à la charge avec une nouvelle expérience de pensée qui produit le même effet qu'un éclair dans un ciel serein, son fameux paradoxe EPR avec Podolsky et Rosen. L'idée est très simple, il suffit que deux particules aient été créées simultanément, identiques, au même point, mais avec des vitesses exactement opposées pour que l'on ait un mode opératoire permettant de déterminer, par symétrie, à la fois leur position et leur moment*, ce qui est interdit par le principe d'incertitude. Le premier observateur mesure la position de l'une, et le second le moment de l'autre particule. Comme la relativité interdit toute communication plus rapide que la vitesse de la lumière, les deux mesures sont indépendantes, et on a donc pris en défaut le principe d'incertitude !

– Et comment Bohr a-t-il réagi ?

– Il a abandonné ses travaux en cours et il a lentement réalisé, après ses premiers essais de réponse, la subtilité du paradoxe et, du coup, de la notion de « réalité » que nous acceptons comme une évidence.

– En gros, il s'est retranché derrière la philosophie.

– Oui, et sa réponse n'a pas convaincu Einstein, persuadé qu'il était possible de donner une description plus complète de la réalité que celle proposée par la mécanique quantique. Il a fallu attendre les travaux de John Bell et les expériences d'Alain Aspect pour mettre en évidence que les prédictions de la mécanique quantique ne peuvent être reproduites par une théorie causale de variables cachées*, et que la mécanique quantique est fondamentalement non locale.

La meilleure illustration que je connaisse de l'impossibilité des variables cachées est une merveilleuse conférence, heureusement disponible sur Internet, de Sidney Coleman, un as de la physique des particules. Elle a pour titre *Quantum Mechanics in Your Face*, que je traduirais : « La mécanique quantique en pleine gueule. » Il explique d'abord comment il a hésité entre plusieurs titres, après le refus de sa proposition : « Voici la mécanique quantique, abrutis ! »

Il décrit, dans sa conférence, une expérience dont le principe est dû à D. Greenberger, M. A. Horne et A. Zeilinger, l'état quantique correspondant s'appelle d'ailleurs un état GHZ. C'est un état d'intrication quantique* qui met en évidence la contradiction entre l'existence de variables cachées locales et la mécanique quantique. Trois observateurs, A, B, C, causalement séparés, de sorte qu'ils ne peuvent influer les uns sur les autres, font, une fois par minute disons, des mesures de spin, dans deux directions horizontales perpendiculaires X et Y. Ces mesures donnent chacune le résultat ± 1 et chaque observateur a le choix de mesurer soit X, soit Y. On répète l'expérience et l'on obtient ainsi une longue liste de résultats : par exemple, X(A) = 1, Y(B) = – 1, Y(C) = – 1, signifie que l'observateur A a choisi de mesurer X et trouvé 1, l'observateur B a choisi de mesurer

Y et trouvé –1 et l'observateur C a choisi de mesurer Y et trouvé – 1. Quand on examine cette liste de résultats, on constate que, dans tous les cas où un seul des observateurs a choisi de mesurer X, le produit des trois mesures donne 1. Ainsi X(A)Y(B)Y(C) = 1 et il en est de même pour Y(A)X(B)Y(C) et Y(A)Y(B)X(C). Si l'on raisonne classiquement, on en déduit que, dans le cas où les trois observateurs choisissent de mesurer X, le produit des trois résultats : X(A)X(B)X(C) est égal à 1. En effet, ce produit est égal au produit des neuf termes (X(A)Y(B)Y(C))(Y(A)X(B)Y(C))(Y(A)Y(B)X(C)) où les Y disparaissent car leur carré vaut 1.

Mais dans l'état quantique considéré par Coleman, qui est un état GHZ, la mécanique quantique prédit que le produit X(A)X(B)X(C) = – 1 ! En effet, cet état est une superposition* de l'état où tous les spins sont verticaux égaux à 1 avec celui où tous les spins sont verticaux égaux à – 1. Un calcul simple (de matrices 2 × 2) montre que X(A)X(B)X(C) est égal à – 1. La prédiction de la mécanique quantique est donc en contradiction flagrante avec ce que l'on déduit du réalisme local, à savoir X(A)X(B)X(C) = 1. Et l'expérience montre que c'est la prédiction de la mécanique quantique qui est la bonne ! Point final !

– Tout cela parce que les matrices de spin ne commutent pas !

– Oui. L'un des faits les plus marquants de la physique quantique de la fin du XXe siècle est que la technologie moderne a permis de réaliser matériellement ce genre d'expérience de pensée, et c'est toujours la prédiction de la mécanique quantique qui est vérifiée !

– Et la technologie moderne s'appuie elle-même sur la physique quantique !

– En effet, les lasers* par exemple jouent un grand rôle. Pour revenir à Coleman, son exposé est plein d'humour. Au début, après avoir rappelé le formalisme de la mécanique quantique, il se tourne vers l'auditoire et dit : « Toute personne ayant une question sur ce que je viens de dire est priée de quitter la salle ! » Il explique aussi qu'il a choisi cette expérience pour illustrer les inégalités de Bell, mais qu'il ne se souvient jamais de ces inégalités, alors que si, quatre ans plus tard, on le réveillait à 4 heures du matin avec un revolver sur la tempe en lui demandant d'expliquer l'expérience des trois spins, il le ferait sans difficulté. Le résultat vaut 1 si l'on peut trouver des variables cachées et – 1 si l'on a affaire à la mécanique quantique. C'est si simple et convaincant.

– Je veux bien, mais comment se sort-on du paradoxe EPR ?

– Eh bien, on dit ceci : quand on effectue une mesure (de position ou de vitesse) sur l'une des deux particules symétriques, se produit instantanément une « réduction du paquet d'onde* » qui modifie l'état des deux particules conjointement.

– Bigre ! D'abord le mot « instantanément » n'a aucun sens à cause de la relativité de la simultanéité et en plus cela semblerait impliquer une influence plus rapide que la vitesse de la lumière...

– On s'en sort en montrant que cette « influence » dont tu parles ne permet pas de communiquer de l'information.

– Pourquoi ?

– Parce qu'aucun des deux observateurs ne peut choisir le résultat de l'expérience qu'il fait : ce résultat reste complètement aléatoire et du coup ne permet pas de transmettre de l'information. Il y a bien corrélation (disons, pour simplifier, que quand on trouve « pile » d'un côté, on trouve « face » de l'autre et inversement), mais il n'y a pas de relation de cause à effet.

Charlotte commence à bien saisir les idées de Bertram. Il a le mérite d'être clair. Elle entrevoit des connexions hardies avec ses recherches, s'en réjouit à l'avance. Au moment où elle s'apprête à leur resservir un peu de l'excellent bordeaux, une sonnerie de téléphone vient perturber leur bonne humeur. Il est 1 h 15.

– Allô ! Vous êtes bien Charlotte Dempierre ? dit une voix d'homme avec un très léger accent.

– Vous avez vu l'heure ! Qui êtes-vous ?

Elle branche le haut-parleur.

– Peu importe mon nom. Nous sommes les Swisscom. Nous faisons des vérifications.

– À cette heure-ci ? Quelles vérifications ?

– Il y a un problème sur votre ligne et avec vous, c'est pourquoi je vous demande si vous êtes bien Charlotte Dempierre, la personne qui possède la ligne.

– Je n'ai pas à vous répondre. Qui me prouve que vous êtes bien les Swisscom ?

– Vous êtes sur liste rouge. Vous savez qu'en cas de problème on lève l'anonymat. Alors vous, c'est bien Charlotte Dempierre ?

– Quel est le problème ?

– Je ne peux pas vous en dire plus, il y a un gros problème avec votre ligne. S'il vous plaît, répondez à ma question, je dois être sûr de votre identité.

– Pourquoi ? Fichez-moi la paix, espèce de crétin du Léman !

Et elle raccroche. Bertram sourit, il croirait volontiers à une mauvaise plaisanterie visant à prouver que Charlotte Dempierre peut perdre son calme après une certaine heure. Elle a un petit défaut, Charlotte, un péché mignon, elle se vante trop volontiers de garder son sang-froid. On la galèje dans son labo.

Du côté de l'intéressée, la réaction est spectaculaire. Elle grince des dents et gronde d'une voix furieuse :

– Ce n'est pas la première fois ! Si je démasque un jour celui qui me harcèle, je lui pourrirai la vie jusqu'à…

Et elle jette violemment son verre sur le sol où il se fracasse. Bertram la contemple, les yeux écarquillés de surprise. Il se rappelle alors ce qu'elle a glissé quelques mois plus tôt dans une conversation : depuis dix ans, elle pratique régulièrement divers sports de combat.

Elle se calme, retrouve son souffle, et débite à toute allure les moindres détails de sa mésaventure à la Punta della Dogana.

– Je me demande si je ne deviens pas dingue. Je ne voulais pas parler de cet épisode, j'ai voulu le traiter par le mépris, mais c'est raté. Ce coup de fil m'angoisse, bien qu'il n'ait sûrement pas de rapport. Pourtant l'accent, c'était le même – oh, peut-être pas tout à fait – je ne sais plus…

CHAPITRE 5

La robe de Bures

Il a quand même de bons côtés, malgré sa jalousie, s'était dit la jeune femme en reconnaissant que la discussion avec Bertram l'avait aidée à préciser des idées qui lui tenaient à cœur. Des problèmes séduisants lui apparaissaient plus nettement et elle savait mieux dans quelle direction elle devait creuser. Bien sûr, elle ne lui a pas révélé la « modification » que sa trajectoire avait subie peu après la frontière suisse.

Malheureusement, ses recherches à la bibliothèque se montrent décevantes, aucun article ne correspond à ce qu'elle a en tête. Elle ne peut s'appuyer sur rien de concret pour avancer. Avec Cervantes et les autres, elle veut être vraiment sûre d'elle avant d'exposer sa nouvelle vision des choses. Question d'exigence envers elle-même.

À peine rentrée à Genève, elle sent une urgence à quitter le Cern pour Bures-sur-Yvette, village de la vallée de Chevreuse où se trouve l'IHÉS*. Pourquoi ? Pour se rendre sur les traces de son père. Il lui montre sans doute la voie. À deux ou trois reprises, il s'est imposé dans ses pensées, et elle commence à se faire des reproches. Négligente à sa mort, pourquoi s'en était-elle remise au directeur de l'IHÉS qui lui proposait gentiment de stocker les livres et documents de son père dans des cartons derrière la bibliothèque, en attendant qu'elle puisse les emporter ? Cette solution l'arrangeait, elle n'était pas au large dans son deux-pièces. Surtout, cela lui permettait de prendre du temps pour faire son deuil avant de se plonger dans ces papiers.

Son père, physicien réputé, avait passé les deux dernières années de sa vie à Bures, à l'Institut des hautes études scientifiques, en tant que « visiteur longue durée ». Cette dénomination administrative n'avait pas été à la hauteur de sa signification, hélas ! De même que, Quai Conti, le titre d'immortel ou de secrétaire perpétuel n'assure pas la vie éternelle. D'ailleurs, aucun membre de l'Institut de France n'y a jamais trouvé à redire. Cependant, deux mathématiciens faillirent poser problème : Jacques Hadamard et Charles de La Vallée Poussin. On finit par croire que leur démonstration du théorème des nombres premiers, à la fin du XIXe siècle, leur avait valu l'immortalité, car ils ne quittèrent leur statut privilégié qu'à 97 ans pour l'un et à 96 pour l'autre : « Charles Levieux, baron de La Vallée Poussin. »

Les deux années passées à Bures avaient sûrement été agréables. Quand il évoquait sa vie là-bas, le père de Charlotte semblait apprécier l'endroit sans le dire ouvertement. Le son de sa voix, surtout son sourire d'homme mûr et grave retrouvaient une sorte d'enjouement. Ce savant était quelqu'un de très réservé qui ne parlait jamais pour épater la galerie ou raconter des histoires drôles, il gérait son ego avec discrétion sinon avec pudeur, exception notable dans ce petit monde de mégalomanes. Quand la chanson de Brassens *Le Modeste* était sortie, tout son entourage lui avait dit : « Elle est pour toi cette chanson », et il avait rougi. Charlotte ne lui avait rendu visite à l'IHÉS qu'une seule fois. Elle était en plein divorce, manquant de temps et d'énergie.

Habituée aux proportions d'usine du Cern, elle avait été frappée par les dimensions modérées des bâtiments. Bureaux, bibliothèque, cafétéria avaient été prévus pour un nombre restreint de chercheurs. Contre vents et marées, les directeurs successifs avaient réussi à préserver l'atmosphère familiale des lieux en résistant à la tentation d'agrandir l'institut démesurément. Au commencement de l'histoire était un parc, celui de Bois Marie. L'influence de la chlorophylle sur la recherche et la création n'a plus besoin d'être démontrée. Les premières constatations remontent au XIXe siècle qui a mis en évidence une catégorie particulière d'auteurs, les « écrivains à parc » dont Chateaubriand reste l'exemple le plus

Parc de l'Institut des hautes études scientifiques (IHÉS).

marquant. Du côté des scientifiques, on ne compte plus les réserves naturelles pour savants, débordant de verdure.

Charlotte avait visité le bureau de son père, donnant sur les grands arbres centenaires. À gauche de la table de travail, un tableau couvert de formules, à droite et sur le mur du fond, des étagères où des livres bien rangés gravissaient les échelons jusqu'au plafond selon une hiérarchie secrète. Force *preprints* et articles répartis dans des classeurs semblaient former une sorte de cocon protecteur autour du bureau. Le fauteuil réservé aux visiteurs était encombré de piles de photocopies : le locataire de la pièce ne souhaitait peut-être pas trop que l'on s'attardât. Il eût été impoli de mettre sur la porte, comme dans les hôtels, un panneau « ne pas déranger ». On avait affaire à un monsieur très bien élevé prêtant aux autres le sens de l'implicite.

La cafétéria ressemblait à une salle à manger familiale. Charlotte avait été surprise du petit nombre de places destinées aux convives, environ trente sièges, exclusivement réservés aux scientifiques. Comme à Princeton, référence récurrente de par le vaste monde, aucun conjoint non initié à table. Il ne faut pas risquer la distraction. Surtout rester concentré, ne pas frôler la trivialité. Assez étonnée, Charlotte avait pensé que le Cern était plus tolérant. Sans doute le gigantisme de l'endroit assurait-il l'anonymat. Point positif pour Bures, on était servi, on n'avait pas à interrompre une discussion mouvementée pour aller chercher son dessert, ce qui évitait à l'exaltation de retomber.

Avant de quitter les lieux, Charlotte avait remarqué que son père était un peu embarrassé, hésitant. « Il faudrait que je repasse dans mon bureau avant de te conduire à la gare, tu m'accompagnes ? » Il désirait sûrement lui dire quelque chose d'important… Une fois dans la pièce : « Tu vois ce petit classeur vert, Lotty, dans ce tiroir… ne parlons pas de malheur, mais s'il m'arrivait quelque chose, c'est celui-là le plus important. Il contient mes dernières recherches. » Il était confus d'avoir évoqué des circonstances attristantes pour eux deux et, afin de chasser les mauvaises ondes, il lui avait fait des compliments sur la jolie robe en jersey de soie qu'elle portait ce jour-là pour lui faire honneur.

C'est bien sûr ce petit classeur vert qu'elle vient chercher et elle s'en veut d'avoir tardé. Il lui faut donc aller voir la gardienne du trésor paternel, la bibliothécaire. La traversée du parc enchanteur est un doux préambule à sa visite.

– Votre père était assez secret, mais nous nous entendions bien. Nous nous étions découvert un intérêt commun pour l'œuvre de Justin Delamare. Vous savez, les grands problèmes de l'Occident, les peurs, les espoirs, le rôle de la religion. Nous prenions le temps d'en discuter quand il venait chercher ou rendre des livres dont moi je n'aurais bien sûr pas pu parler, surtout des ouvrages de neurobiologie durant les cinq ou six derniers mois.

J'avais l'impression qu'il vivait ces courts moments comme une récréation, non, pas vraiment un délassement, plutôt un dimanche de l'esprit… mais je me flatte sûrement en disant cela. En tout cas, pour moi, ces échanges étaient précieux, gratifiants. Pour certains ici, je ne suis que la dame qui s'occupe des livres. Il est vrai que beaucoup ont l'excuse de ne pas parler français. On n'a guère envie d'évoquer le paradis en langage basique. Un autre l'a fait, mais dans une vraie et belle langue anglaise, n'est-ce pas !

Cette femme est intéressante, sensible, pense Charlotte, curieux qu'il ne m'en ait jamais parlé. Elle a dit qu'il était secret !

– Un soir, je l'avais aidé à ranger ses ouvrages. J'avais compris à son air grave et inquiet que le petit classeur vert tenait une place particulière dans sa vie de chercheur. Il fallait qu'il eût une confiance absolue dans l'honnêteté des membres permanents et des visiteurs pour le laisser dans un bureau qui ne ferme pas. Vous connaissez l'usage de la maison. Pas de clés. Tous les directeurs ont respecté cette coutume généreuse. Tenez, le voici, j'en ai pris grand soin. Il va me manquer.

Généreuse, elle l'est, cette femme, songe Charlotte. Et même un peu plus que cela...

Elle sort avec le classeur sous le bras et court à sa voiture, le feuillette et constate une convergence inattendue avec ses préoccupations. L'émotion la saisit. Elle referme soigneusement sa Twingo à clé. Son idée de la nature humaine n'est pas tout à fait la même que celle défendue par les directeurs de ce havre de sérénité.

Charlotte ne veut rien négliger. Pour s'éclairer, elle a l'intention de suivre une deuxième piste, ici même, à Bures. Elle a entrevu, il y a quelques années, un des hôtes de l'institut, Armand Lafforet. Or cet homme, paraît-il, domine divers aspects de la physique contemporaine, pour lesquels il a développé des vues originales. Elle va tenter de l'interroger pendant le déjeuner qu'elle compte prendre à la cafétéria.

CHAPITRE 6

L'horloge des anges

Rien n'a changé, le même brouhaha, la même table ronde. Elle reconnaît quelques têtes en pleine effervescence, les yeux sont vifs et le ton assuré. Elle ne passe cependant pas inaperçue dans ce petit monde où les top models n'encombrent pas les amphis. Il reste une place à côté d'un barbu, un grison à l'allure juvénile dans lequel elle reconnaît Armand Lafforet.

– Bonjour !

– Bonjour, vous venez d'arriver ?

– Oui, et je repars dans une heure.

– À Paris ?

– Non, au Cern.

Le grison se détourne vers son voisin de gauche, pour cacher son trouble devant cette apparition de madone florentine. Il avait réussi, tout mathématicien qu'il était, à transformer sa timidité naturelle en une technique de drague éprouvée qui consistait à :

1. ignorer la personne qui vous a tapé dans l'œil et surtout celle qui, consciente de son pouvoir de séduction, en attend une gratification immédiate ;

2. orienter la conversation adjacente vers un sujet irrésistible.

Appliquant cette méthode, Armand Lafforet dit à son voisin de gauche :

– Alors, quand allez-vous sélectionner le bon parmi vos univers possibles et vos compactifications de Calabi-Yau* ?

– En fait, un physicien vient de montrer qu'il est aussi difficile de faire cette sélection que de résoudre le problème du voyageur de commerce*.

Charlotte brûle de manifester son scepticisme devant ce domaine, trop à la mode, des mathématiques qui lui a toujours paru si éloigné des expériences… Elle n'ose pas, craignant de perdre la face devant cet homme qui commence à l'intéresser. Elle préfère dévier la conversation vers ce qui lui tient à cœur.

– Excusez-moi de changer de sujet, mais j'aimerais connaître votre avis sur la question suivante : je reste perplexe à propos du formalisme de la mécanique quantique et de la réduction du paquet d'onde pour expliquer que chaque expérience concernant une entité quantique, à la fois onde et particule, donne un résultat précis et non pas un nuage.

Tiens, tiens, se dit Armand, en voilà une bonne question, elle me prend par les sentiments…

– Je comprends ton malaise, et je vais essayer de t'expliquer une manière de voir les choses bien différente de la présentation classique. Essayons de saisir ce qui est à l'origine de la « variabilité » de la réalité, dit-il avec un enthousiasme communicatif.

Il enchaîne :

– J'entends par là tout ce sur quoi nous n'avons aucun contrôle. À l'évidence le temps, ou mieux, l'écoulement du temps, en fait partie, et l'homme n'a bien sûr aucune prise là-dessus.

– J'ai toujours pensé que l'on pouvait réduire toute variabilité au passage du temps, répond Charlotte.

– C'est bien ce que je croyais, mais il y a dans les phénomènes quantiques une source intarissable d'aléas qui, en un sens, est tout aussi incontrôlable, nous échappe tout autant, que le passage du temps. Le quantique est une source de « variabilité » fascinante pour un mathématicien.

– Pourquoi dis-tu « pour un mathématicien » ?

– Eh bien parce que la notion même de « variable » n'est pas si simple à mathématiser. Intuitivement, une variable est une quantité qui peut prendre plusieurs valeurs distinctes. On est tenté au départ de modéliser une variable comme une fonction à valeurs réelles, c'est-à-dire comme une application d'un ensemble vers celui des nombres réels. Quand l'ensemble est discret, on dit que la variable est discrète, sinon on parle de variable continue. Mais on réalise assez vite que, dans ce formalisme, les variables discrètes ne peuvent coexister avec les variables continues. Ce problème m'a préoccupé longtemps, et j'ai fini par me rendre compte que c'est le formalisme de la mécanique quantique qui donne la meilleure incarnation de la notion de variable réelle et même de variable infinitésimale. Cela aurait enchanté Newton pour lequel les infinitésimaux, qu'il concevait comme des variables discrètes, doivent coexister avec les variables continues. Tout cela s'intègre parfaitement grâce au formalisme quantique !

Charlotte, qui s'était laissé emporter par la puissance évocatrice du discours, reprend ses esprits :

– J'admets que cela satisfasse tes préoccupations de matheux, mais *quid* de la physique, mon domaine de prédilection ?

– Eh bien, je prétends que les physiciens se trompent en essayant d'inscrire la variabilité quantique dans le cours du temps ! C'est ce qu'ils font avec leur fameuse réduction du paquet d'onde qui stipule qu'après une mesure, un système quantique voit son état entièrement réduit à celui qui a été mesuré. Je pense que la variabilité quantique est plus primitive, plus fondamentale, que son inscription temporelle et qu'il faut inverser la hiérarchie avec la variabilité qui provient de l'écoulement du temps. Je te propose une formule pour illustrer mon point de vue :

C'est l'effervescence quantique qui génère
le passage du temps et non l'inverse !

Ils se regardent, un ange passe, Charlotte reprend en souriant :

– Si je comprends bien, tu es en train de m'affirmer que

l'aléa du quantique est le tic-tac
de l'horloge divine.

– Oui, on ne saurait mieux résumer ma pensée (il jubile). Einstein avait dit « Dieu ne joue pas aux dés », voilà une réponse parfaite : c'est ce jeu qui fait tourner son horloge !…

À ce moment précis, le chef cuisinier en grande tenue, à la recherche d'un moment de détente bien méritée – il assure des repas quasi gastronomiques pour une trentaine de convives –, fait irruption dans leur duo.

– Salut Armando, tu ne changeras jamais ! dit-il en s'esclaffant et en gratifiant Armand d'une bonne tape dans le dos, lui déréglant son horloge personnelle.

Charlotte, perplexe, ne sait comment interpréter cette connivence qui la met mal à l'aise. Elle voit Armand rougir. Lui encaisse, oublie très momentanément ses velléités de séduction et se laisse emporter par son sujet qu'il développe avec fougue :

– La question inévitable, dit-il en plongeant son regard dans les yeux pervenche, est : « Comment le temps tel que nous le percevons peut-il apparaître à partir de l'aléa quantique ? »

– Ce que j'ai compris en réfléchissant au paradoxe d'Einstein-Podolsky-Rosen, c'est qu'il existe, en effet, une analogie entre l'aléa quantique et le temps : dans le cas de ce paradoxe et des mesures qui sont faites en deux points causalement indépendants, il n'y a pas deux aléas quantiques, mais un seul, à cause des corrélations.

– D'accord, si c'est pile d'un côté, ce sera face de l'autre, et inversement.

– Donc une corrélation maximale, mais pas de causalité. Je ne comprends rien à la chronologie dans ce cas-là et la réduction du paquet d'onde me paraît dépourvue de sens car on ne peut dire à quel moment elle se produit !

– Formidable, tu tombes en plein cœur de mes réflexions. Pour te répondre : la chronologie n'a pas d'importance, pas de sens, entre deux observables *qui commutent.*

– Essaie de dire cela en termes plus simples.

Armand, conscient du pouvoir séducteur de son idée, se lance :

– L'algèbre peut paraître bien abstraite, mais le langage écrit en donne une illustration parfaite : en effet une phrase, des mots n'ont de sens que parce que nous faisons attention à l'ordre des lettres qui les composent.

La règle de *non-commutativité* interdit de permuter librement les lettres.

– Oui, mais quel rapport avec le quantique ?

– C'est la grande découverte de Heisenberg : alors que la physique classique est écrite en utilisant les règles de l'algèbre ordinaire, commutative, dès que l'on traite d'un système microscopique, il faut faire plus attention et respecter l'ordre des lettres dans les calculs ! On est en 1925, Heisenberg est alors chargé de cours à l'Université de Göttingen. En essayant de trouver par intuition les formules correctes des intensités des raies spectrales de l'hydrogène, il s'est heurté à des difficultés insurmontables. Cette tentative ayant échoué en raison de la complexité du problème, il a dirigé ses recherches vers le système mécanique le plus simple possible : le pendule oscillant. À la fin du mois de mai 1925, un rhume des foins providentiel le libère de ses obligations. Il doit se réfugier dans un endroit sans pollen, l'île de Heligoland, dans le Schleswig-Holstein. Il y invente un schéma mathématique qui s'impose à lui en prenant pour variables les quantités physiquement observables*, mais n'a aucune garantie de la cohérence de ce formalisme. La question de la conservation de l'énergie le taraude, et il se lance dans le calcul. Il en arrive à bout, une nuit, vers 3 heures du matin :

« La loi de conservation de l'énergie s'était trouvée vérifiée pour tous les termes, et – puisque cela s'était produit automatiquement, pour ainsi dire sans aucune

L'île de Heligoland.

contrainte – je ne pouvais plus douter du caractère non contradictoire et compact, du point de vue mathématique, de la théorie quantique ainsi esquissée. Au premier moment, cela me remplit d'une profonde angoisse. J'avais l'impression qu'il m'était donné de regarder, à travers la surface des processus atomiques, un phénomène plus profond, d'une étrange beauté intérieure ; j'avais presque le vertige en pensant qu'il me fallait maintenant étudier cette foule de structures mathématiques que la nature avait étalées sous mes yeux. J'étais si excité qu'il ne pouvait être question pour moi d'aller dormir. Je quittai donc la maison, alors que l'aube commençait à poindre, et je me rendis à la pointe sud du haut pays, là où un rocher solitaire en forme de tour, faisant saillie en direction de la mer, avait éveillé en moi depuis longtemps l'envie d'une escalade. Je parvins à son sommet sans difficulté majeure, et j'y attendis le lever du soleil. »

Heisenberg venait d'inventer ce qui deviendra la mécanique des matrices. Il en déduira son fameux principe d'incertitude et l'impossibilité de mesurer simultanément des quantités observables qui ne commutent pas.

– Mais alors, maintenant, quel est le rapport avec le temps ?

– Eh bien le miracle : un état sur une algèbre non commutative engendre son propre temps ! *Le temps quantique** !

Charlotte, qui ignorait ce résultat, est impressionnée. Elle devine que cette assertion pourrait l'aider fondamentalement dans sa recherche. Sa tête bourdonne.

Par un accord tacite, les deux interlocuteurs décident de modérer la tension intellectuelle de leur échange. Armand dit, en détachant les derniers mots :

– Tu travailles bien sur le boson scalaire de Higgs ?

– Non, moi, c'est sur un boson qui est beaucoup plus lourd, le Big Broson, et d'ailleurs je corrige toujours les gens qui parlent du boson de Higgs, n'oublions pas Brout et Englert !… Mais je devine à ton sourire que tu avais une idée derrière la tête en mentionnant :

L'horloge des anges ici-bas.

« le boson scalaire de Higgs. »

– En effet ! Tu connais les *Anagrammes renversantes* d'Étienne Klein et Jacques Perry-Salkow sur le sens caché du monde ? L'un des joyaux d'Étienne Klein résume si bien notre discussion :

« L'horloge des anges ici-bas. »

On a ici une anagramme parfaite de « le boson scalaire de Higgs », les deux ensembles de mots donnent le même résultat quand on néglige l'ordre des lettres, à savoir : $a^2\,bcde^3\,g^2\,hi^2\,l^2\,no^2\,rs^3$. On voit clairement que passer au commutatif est une perte de sens.

Charlotte décide de prolonger un peu son séjour à Bures.

CHAPITRE 7

Valse à mille tours, vers de Milton

« Le mugissement des gonds, pareil à celui du tonnerre, ébranla le plus profond de l'Érèbe. »

Milton, *Le Paradis perdu*, 1667.

Cinq mois après l'accident, le Cern est toujours en réparation. Pendant ces cinq mois, Francesca et Charlotte se sont encore rapprochées. Elles ont eu de longs tête-à-tête presque quotidiens dans le bureau directorial, qui ont fini par susciter la curiosité. Pour savoir de quoi elles discutent, on a interrogé la secrétaire de Francesca. Celle-ci, en effet, doit constamment soumettre à sa patronne des lettres à signer, des demandes de rendez-vous, etc. Mais elle a seulement pu dire que ces discussions étaient exclusivement scientifiques.

– Et ne me demandez pas d'autres détails, car je n'y comprends goutte !

Un jour cependant, en pénétrant dans le bureau, elle a saisi cette exclamation de Francesca : « Charlotte, c'est démentiel ! » Cette information n'a fait qu'aiguiser la curiosité sans éclaircir le mystère.

Mystère encore épaissi depuis que Picci, un après-midi, a entendu – ou cru entendre, il est napolitain – de la musique dans le bureau de Francesca. Il avait rendez-vous avec cette dernière pour clarifier un problème d'ordre de mission.

Contrarié d'avoir à patienter un assez long moment (ce n'est pas dans les habitudes de la directrice d'imposer à ses « collègues » de faire antichambre), il s'était plongé dans la lecture d'un nouvel article enfoui dans sa serviette le matin même. Derrière la porte, il entendait bien deux voix de femmes qui dialoguaient, mais sur un rythme et un ton bien spécifiques, celui de la musique. Il reconnaissait le tempo si caractéristique de la musique baroque, avec ses vocalises particulières. Lui, l'interprète amateur du *Sixième Livre de madrigaux*, ne pouvait s'y tromper. Les accents rappelaient ceux d'un contemporain de Monteverdi, peut-être ceux du maître. Mais non, voyons ! Il se fourvoyait ! Ce qu'il était en train d'entendre, derrière cette porte, était autrement considérable. Il ignorait qui tenait compagnie à Francesca, mais une chose semblait certaine, les occupants du bureau écoutaient l'acte I du *Couronne-*

ment de Poppée, le fameux passage dans lequel Poppée demande sur un ton de plus en plus pressant à Néron : *Tornerai ?* – « Tu reviendras ? » Et Néron, qui a du mal à s'arracher à ses bras, finit bien sûr par répondre *Tornerò* – « Je reviendrai. »

Tornerai ?
Se ben io vò
Pur teco io sto.
Tornerai ?
… Il cor dalle tue stelle
Mai, mai non si divelle…
Tornerai ?
… Io non posso da te viver disgiunto
Se non si smembra la unità del punto.
Tornerai ?
Tornerò !

Picci connaissait l'opéra par cœur. Il dénombra quatre *Tornerai*. Il y avait le compte ! C'étaient les sopranos Helen Donath et Elisabeth Söderström qui chantaient Poppée, à merveille, et Néron. Comment ne pas les reconnaître ? À la fois charmé et intrigué, il avait encore patienté un moment avant de voir sortir Charlotte du bureau directorial, grave et visiblement émue.

Bizarre, elle devrait plutôt avoir la tête de quelqu'un qui vient d'écouter *Le Retour d'Ulysse dans sa patrie*, se dit-il, riant tout seul de sa sotte plaisanterie, pendant que Charlotte s'éloignait après l'avoir à peine salué.

Picci avait gardé pour lui ses réflexions sur les rapports ambigus de Francesca et de Charlotte, puis s'était dit qu'il avait oublié les règles de l'opéra baroque où les rôles d'hommes jeunes sont généralement chantés par des sopranos. La musique seule rendait donc ces femmes complices, c'était certain ! De là à l'inséparabilité du couple, « l'unité du point »...

Il n'y avait pas eu d'autre fait notable, mais on continuait à remarquer une entente croissante, une connivence même, entre les deux amies.

L'emploi du temps de Charlotte comportait cependant bien d'autres rendez-vous importants.

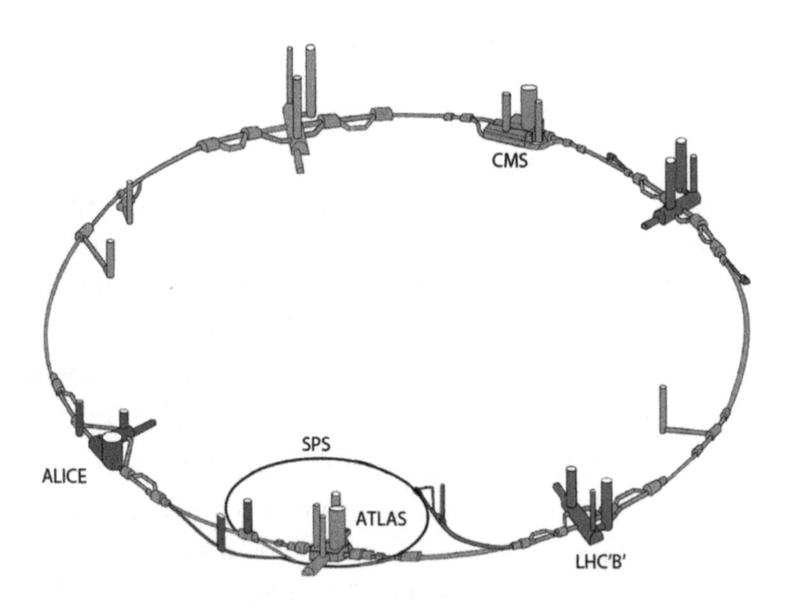

Anneau de collisions du Cern.

Aujourd'hui elle ne doit pas rencontrer la directrice car elle veut se consacrer entièrement à Armand Lafforet. Celui-ci ayant glissé dans une lettre qu'il aimerait visiter le Cern, Charlotte a sauté sur l'occasion et lui a proposé d'y donner une conférence (il aura ainsi son voyage remboursé...). « S'il fait beau, a-t-elle ajouté, je louerai un vélo pour toi et nous irons tous les deux nous promener aux environs. »

Le TGV Paris-Genève est annoncé, il va entrer en gare dans quelques minutes, à 10 heures. Charlotte est au bout du quai, venue accueillir Armand. Elle se demande si l'élan qui l'a entraînée vers ce mathématicien à l'œil pétillant, mais sans illusions sur les hommes (et les femmes), sera le même qu'à Bures où déjà elle est allée le revoir deux fois. Ils ont eu de nombreuses discussions philosophiques très enrichissantes, souvent agrémentées de fous rires, signe d'une solide complicité. Leurs conversations reviennent toujours à la réalité platonicienne, au monde mathématique, et surtout à l'émergence du « temps quantique », une idée qui l'envoûte. Elle l'entrevoit comme un Graal inaccessible, mais si séduisant, qui déclenche chez elle une attirance presque irrésistible.

Elle aperçoit Armand, qui ne porte qu'une petite sacoche en bandoulière. Je lui avais pourtant parlé d'une excursion à vélo, il va falloir lui trouver un équipement. Au deuxième coup d'œil, elle remarque son élégant T-shirt noir, près du corps. Peu d'hommes à son âge peuvent se permettre ce genre de vêtement moulant, célèbre réussite des couturiers italiens.

Les retrouvailles méritent un 17/20, assurément. Charlotte emmène immédiatement son ami au Cern. Il fait son exposé à 11 heures dans le grand auditorium, répond aux nombreuses questions sur le temps et l'aléa quantique. Le public est plutôt chaleureux, très curieux bien sûr. Armand semble satisfait.

Au cours d'un déjeuner léger à la cafétéria, il fait la connaissance des postdocs de Charlotte – il n'a pas pu y échapper – qui l'interrogent avec pertinence et qu'il trouve particulièrement attentifs à ses moindres gestes. Ensuite, souriant et détendu, il suit son guide, la belle Charlotte, rayonnante. Ils jettent un coup d'œil sur les bâtiments (qui n'ont aucun intérêt architectural), sur les quelques arbres et pelouses qui les entourent, puis se dirigent vers les tunnels. Les choses sérieuses commencent.

La période de décontamination, obtenue par les écologistes, leur offre une opportunité inouïe : celle de pouvoir visiter trois des grands détecteurs du Cern que les ingénieurs sont en train de démonter partiellement pour tester à quel point ils ont été contaminés par le rayonnement radioactif de l'accélérateur de particules. Charlotte est munie d'un laissez-passer que lui a procuré Francesca et qui lui permet d'accéder librement à Atlas, à CMS et à Alice. Avant qu'ils n'empruntent l'ascenseur qui va les descendre en profondeur, on leur demande de mettre un casque, léger, en plastique, selon le rituel.

La visite commence par le détecteur Alice et ses dix mille tonnes, ses vingt-six mètres de long, ses seize mètres de diamètre et son spectromètre à muons. Son rôle est d'explorer des conditions extrêmes de température et de densité pour la matière nucléaire. Charlotte explique à Armand le fonctionnement du détecteur qui engrange chaque seconde un giga de données. Il est sidéré par la précision des mesures de temps : les cent soixante mille microdétecteurs, dont la résolution temporelle est de cent picosecondes*, couvrent cent cinquante mètres carrés. Pas étonnant qu'avec un tel instrument on puisse explorer les frontières de la physique !

Le détecteur CMS rappelle à Charlotte sa construction en surface. Il avait fallu faire glisser sur une centaine de mètres les éléments de *mille tonnes* chacun sur un coussin d'air comprimé, avant de les faire délicatement descendre par d'énormes grues, hôtes familiers des chantiers navals.

Ils arrivent maintenant au troisième détecteur, Atlas, qui pèse autant que la tour Eiffel. L'endroit est sinistre, gigantesque, avec ses quarante-cinq mètres de long et vingt-cinq mètres de hauteur. Des échos peut-être imaginaires font frémir Armand qui découvre les lieux. Charlotte lui explique une des clés du fonctionnement des détecteurs :

– Dans Atlas comme dans Alice, on utilise les chambres multifilaires* inventées par Charpak, qui ont remplacé les chambres à bulles. Avant cette invention, il fallait une armée de physiciens concentrés sur l'analyse de dix millions de photographies par an, on en était au stade préhistorique. Maintenant toutes les données sont traitées automatiquement par l'informatique.

– Cela m'évoque irrésistiblement les radiographies qui sont encore tellement employées en médecine de nos jours ; cela veut-il dire qu'une révolution semblable pourrait avoir lieu dans le domaine médical ?

– Cette révolution a déjà commencé, les détecteurs de Charpak sont utilisés pour la recherche en biologie.

Armand est subjugué par la taille des énormes électro-aimants en forme de tores qui entourent le détecteur. Leur puissance est titanesque ; un simple tournevis laissé dans le champ magnétique traverserait le béton comme du beurre. Ils visitent ensuite une salle, proche, remplie d'ordinateurs.

– Ces ordinateurs traitent en temps réel les quelque deux cents collisions sélectionnées parmi les quarante millions de collisions par seconde.

Puis Charlotte montre à Armand l'une des entrées du tunnel de vingt-sept kilomètres.

– En temps normal, les électroaimants de l'anneau de collision accélèrent peu à peu toutes sortes de particules qui tournent jusqu'à approcher la vitesse de la lumière, puis entrent en collision. Cette valse à mille tours, cette ronde effrénée et presque tragique, a cessé depuis cinq mois.

– Tu dis « approcher » la vitesse de la lumière, je sais que la masse augmente quand on arrive au voisinage de cette vitesse, qu'en est-il dans ce cas ?

– « Approcher », voilà un bel exemple d'*understatement* ! Ici le rapport de la vitesse atteinte à la vitesse de la lumière, ce n'est pas 0,9, ce n'est pas 0,99, c'est 0,999999991, ce qui multiplie la masse des particules accélérées par 7 500.

– Incroyable !

Armand, très impressionné, sent que tous ces nombres, tous ces instruments, toutes ces particules en collision s'impriment dans sa mémoire sous forme de tourbillon. Il éprouve un léger étourdissement, une sensation tout à fait inattendue, pleine de visions effrayantes et d'échos aux tonalités graves qui s'entremêlent en tournoyant. Seule une lumière sombre éclaire ces chimères. Complètement désorienté, il voudrait trouver les mots pour apprivoiser cette apparition, mais ces mots, pour une fois, brillent par leur absence. Vont-ils rester prisonniers du chaos ? Peu à peu des sons articulés s'imposent à lui, comme s'ils remontaient par degrés infimes des lointaines profondeurs de sa mémoire :

« De Chaos naquirent l'Érèbe
et la sombre Nuit. »

D'où vient cette phrase ? Il se la répète pour la fixer, elle semble si volatile. Une autre revient aussi à la surface de sa conscience :

« De la Nuit, l'Éther et le Jour naquirent,
fruits des amours avec l'Érèbe. »

Il essaie de se concentrer sur autre chose, fixe les cheveux blonds de Charlotte, pour permettre au souvenir de s'extraire tout seul, tranquillement, complètement, des replis de son passé résurgent. L'Érèbe, un drôle de mot, profond et noir.

Armand sourit en reconnaissant enfin les vers qui lui avaient donné du fil à retordre dans une version grecque, au point de s'inscrire tout nus dans sa mémoire. Il se revoit lycéen, penché sur son *Bailly* et maudissant son professeur car il avait envie d'aller jouer au foot, au lieu de tenir compagnie à ce vieil Hésiode avec ces deux phrases mal dégrossies. Pourtant, petit à petit il s'était laissé envahir par l'évocation des Enfers, du Tartare, de l'Hadès. Ayant tellement peiné sur ce passage obscur, il en avait rêvé le surlendemain et s'était retrouvé dans l'Érèbe, premier sous-sol des Enfers, où patientaient les âmes dont les corps n'avaient pas été enterrés selon les rites. Curieux et craintif, il avait visité trois immenses palais, méthodiquement, celui de la Nuit, celui des Songes et celui du Sommeil.

Armand alors lève les yeux sur le troisième détecteur qu'ils sont en train de visiter et croit revoir le palais des Songes, profond, au plafond inaccessible, avec des murs incurvés, mobiles dans la pénombre. Il regarde Charlotte. Elle semble très à l'aise, dans son élément. Lui n'a qu'une envie : quitter ce lieu propice aux sortilèges. Malédiction ! Deux vers oubliés de Virgile viennent le narguer sans crier gare :

« *Il chantait, et du fond de l'Érèbe nocturne*
s'éveillaient et marchaient les Ombres taciturnes. »

Dire que certaines personnes prétendent que les études classiques vous trempent l'âme, se dit-il, pris à nouveau d'un léger vertige. Il saisit la main de Charlotte.

– Tu ne crois pas que nous devrions remonter ? C'était très intéressant, très impressionnant.

En fait, il est épuisé, étourdi, et a besoin de s'asseoir, au grand air de préférence. La jeune femme, un sourire un peu inquiet aux lèvres car elle a noté la pâleur de son ami, lui répond :

– Bien sûr, on y va tout de suite !

Elle se garde d'ajouter la phrase poétique que d'habitude elle déclame malicieusement et sur un ton léger à l'adresse d'autres visiteurs, plus résistants qu'Armand, pour terminer le parcours sur une note miltonienne :

« Ici le chaud, le froid, le sec et l'humide,
quatre frères champions se disputaient l'empire
et conduisent en bataille leurs embryons d'atomes. »

Après cet intermède tartaresque, les deux chercheurs refont surface. Armand quitte avec soulagement le royaume glacé des ombres et retrouve le grand jour comme on reprend pied quand on a nagé trop loin du rivage. Le soleil brille, mais le vent, assez vif, et plutôt frais, les saisit. Armand est encore secoué. Il ne pense plus qu'à la balade en vélo.

Heureusement, Charlotte a tout prévu et a chargé Ranee de trouver pour son ami, tennis, K-Way et veste polaire. La jeune Indienne est un composé de timidité et d'extrême politesse, une chance pour celui ou celle qui a un service un peu spécial à demander. Charlotte ne s'y serait pas risquée avec Cervantes ou Picci. Ils n'auraient pu dissimuler un sourire entendu. Ranee les attend. Elle apporte la panoplie complète du cycliste : un casque et un petit bidon d'eau (elle est très consciencieuse). Armand la gratifie d'un « oh vraiment, c'est très, très gentil ! » plein de conviction, et d'un sourire particulier auquel Ranee n'ose pas répondre.

Fin prêts, les deux amis enfourchent leurs vélos et partent longer la côte nord du Léman. Sans se presser, ils admirent les Alpes encore bien enneigées sur la rive opposée et les reflets changeants du lac. Ils ont décidé d'aller jusqu'à Nyon où un charmant café avec terrasse fleurie leur permet de se restaurer. Ils y savourent un muesli à la crème et une Sachertorte qui ont raison de la pâleur d'Armand. Confortablement installés au soleil, ils reviennent sur la conférence du matin. Armand est un anxieux, il a toujours peur d'avoir omis un point important.

– J'ai oublié d'expliquer une condition essentielle pour que le temps apparaisse : il faut que l'on soit dans un bain thermique*.

– Laisse tomber, ils en ont eu pour leur argent, c'est un public averti, tu sais… mais en effet, si tu veux que ton explication sur le temps devienne incontestable, il faudra bien que tu nous montres qu'il y a un bain thermique dans lequel nous sommes plongés de manière irrévocable.

– Oui, et c'est vraiment dommage que je n'en aie pas parlé : il y en a un, il est évident, c'est le bain thermique de la radiation à trois degrés kelvin qui nous vient du Big Bang.

– On ne peut pas y couper !

– Ce bain thermique brise l'invariance de Lorentz* de la relativité, et c'est grâce à cela qu'un temps privilégié peut apparaître.

– Comment cette idée t'est-elle venue ?

– Elle est née lors d'une rencontre avec un physicien, Carlo Illvero, il y a quelques années. Carlo avait été invité à faire une conférence au Newton Institute de Cambridge, où je passais plusieurs mois pour participer à un programme sur la gravitation. Carlo avait donné un titre provocateur : *We Know What Quantum Spacetime Is* et sa conférence s'était déroulée dans une ambiance tendue devant une audience sceptique. Lors du thé, cérémonie traditionnelle au Newton Institute, nous avions entamé une longue discussion et je réalisais lentement avec quelle profondeur Carlo avait réfléchi aux problèmes philosophiques liés à l'incompatibilité entre le quantique et la gravitation. De mon côté, j'étais depuis ma thèse fasciné par l'apparition miraculeuse d'une évolution temporelle dans l'algèbre non commutative. Je n'avais pas réussi malgré de nombreux efforts à lui trouver une signification physique convaincante. Lors du dîner, ce soir-là, assis à côté de Carlo, je n'avais pu m'empêcher de lui expliquer d'abord le résultat mathématique d'unicité qui donne un sens intrinsèque à l'évolution temporelle d'une algèbre non commutative et fournit tout de suite une pléthore d'invariants algébriques, comme les périodes, ensuite ma frustration, après avoir exploité la puissance mathématique du résultat, de n'avoir pas su en trouver le sens physique.

– Comment Carlo a-t-il réagi ?

– Il s'est levé sans dire un mot et il est parti ! J'étais très gêné, pensant l'avoir blessé sans le vouloir. Il faut dire que j'avais mauvaise conscience de l'avoir trop malmené par mes remarques lors de sa conférence. Et puis, miracle, quelques minutes plus tard, Carlo réapparaît avec dans sa main deux articles, qui contenaient les

Cap sous Nyon.

conclusions de ses réflexions philosophiques et nous ouvraient la voie pour relier ma trouvaille d'unicité avec la physique de la gravitation quantique. Ce que nous nous sommes empressés de faire dans un travail en collaboration.

– Vous avez eu de la chance de vous rencontrer !

– Oui ! Cette rencontre m'a beaucoup marqué et je pense que l'on n'a pas encore assez exploité cette idée... L'air fraîchit, on devrait peut-être songer à repartir.

De nouveau en selle pour le retour, ils doivent pédaler contre le vent. Un peu essoufflés, ils font quelques pauses. Des vacanciers canotent près du rivage. Charlotte se sent détendue, presque émue. Si elle collectionnait encore les moments parfaits comme dans son enfance, elle pourrait retenir celui-ci pour son album.

La tête sur l'épaule d'Armand, le regard perdu dans les vaguelettes du lac, elle songe à ce poème si chahuté par les potaches, et qu'elle adore… Elle ne va quand même pas le réciter. Comment Armand réagirait-il ? Sans doute avec une pointe de cynisme, du genre : « Charmant, les poèmes aquatiques, mais rien à voir avec le temps quantique. »

Elle cède à la tentation :

– « Un soir, t'en souvient-il, nous voguions en silence… »

Et n'a pas à le regretter car Armand lui dit :

– Et *La Chute d'un ange*, du même auteur, tu connais ?, et l'entraîne à l'abri du vent et des regards indiscrets.

Le lendemain matin, Armand quitte Genève pour faire une série de conférences à Lausanne, Neuchâtel, Berne. Sans enthousiasme. Ils avaient encore tant de choses à se dire ! L'image de Charlotte dans les profondeurs glacées de l'anneau de collision se superpose à ses réminiscences mythologiques. Une légère angoisse l'empêche de savourer pleinement l'empreinte des dernières vingt-quatre heures.

Au Cern, vers 10 heures, Ranee, Cervantes et Picci devisent dans le couloir, comme à leur habitude avec force éclats de rire, sans trop se préoccuper des chercheurs au travail. Ils se plaignent de n'avoir guère vu leur patronne la veille, Cervantes surtout qui avait deux questions importantes à lui poser.

Soudain, de l'intérieur du bureau de Charlotte, dont ils sont proches (car elle les a convoqués pour 10 h 30), leur parvient une voix furieuse, la voix de Young.

– Je sais très bien que tu as fricoté avec ce Lafforet, garce ! Nymphomane ! Je l'ai vu sortir de chez toi, de bonne heure ce matin, tout ragaillardi !

On n'entend pas la réponse de Charlotte. Puis la voix reprend, encore plus forte, encore plus furieuse :

– Tu me dégoûtes, tu ne pouvais pas te calmer un peu ? Bravo ! Cette fois tu me déshonores avec quelqu'un de connu et dans un endroit qui n'a rien de discret, c'est vraiment infâme de ta part !

– Rappelle-toi notre contrat : liberté, égalité, fraternité ! Tu n'as pas à te mêler de ma vie privée !

– On croit rêver ! N'importe quoi ! Vous vous êtes affichés, espèces de salauds, on ricane quand je passe dans les couloirs.

– Sois fort, libre, ignore !

– Tu es vraiment une garce.

– Alors on arrête là !

– Et après Lafforet, tu vas recommencer à lancer des signaux à tous les mâles présentables de moins de 50 ans, c'est ça, hein, traînée ! Je ne sais pas ce qui me retient de…

Young sort du bureau, les cheveux en bataille, le visage congestionné, l'œil fou. Il se retourne et lance, en hurlant cette fois, avant de claquer la porte :

– Tu me le paieras, tu n'as pas fini d'en baver… le dieu Hödhr* est plus malin que tu ne crois !

Il s'enfuit en courant, il n'a même pas vu les trois chercheurs… qui s'éloignent sur la pointe des pieds. Charlotte, demeurée seule, et d'abord un peu assommée, se redresse. Sa colère monte. Il a dit n'importe quoi, quel fou, ce n'est plus possible !… Que vient faire Hödhr là-dedans ?

Pour se calmer elle se verse un verre d'eau – il y a en permanence une bouteille d'eau plate sur son bureau –, en boit une gorgée, respire à fond et s'imagine au milieu des alpages du Valais, une image apaisante qui la surprend toujours par son efficacité.

Il était temps, on frappe à sa porte. À 10 h 30 précises, ses trois élèves se présentent comme convenu. Charlotte qui avait décidé de leur parler enfin des idées qui l'agitent depuis des mois, ou du moins d'une partie de ses idées, doit faire un effort surhumain pour y parvenir. Elle y voit d'ailleurs une occasion de tester sa maîtrise de soi, qu'elle essaie d'améliorer chaque jour.

Imprégnée du style d'Armand, elle leur fait un exposé semi-philosophique. Elle leur parle du classeur vert de son père, de certaines suggestions visionnaires qu'il contenait. Elle synthétise le Big Broson, l'horloge à bosons, l'aléa quantique, le passé incertain, l'altération possible de ce passé. Les chercheurs sortent du bureau ébahis, la tête leur tourne. Il est plus de 13 heures.

– Quelle séance ! On peut dire qu'elle a l'esprit de synthèse la patronne ! s'exclame Picci.

Cervantes a surtout retenu la notion de passé incertain, et d'altération possible de ce passé. Son visage est grave, soucieux. Le programme scientifique de Charlotte l'inquiéterait-il ?

Après le déjeuner, Charlotte se rend chez Francesca et, avant de poursuivre le projet en cours, lui parle un peu de sa situation personnelle. Elle lui raconte la crise de jalousie de Young, et son allusion finale. Les deux femmes se perdent en conjectures sur le rôle de Hödhr.

CHAPITRE 8

L'aiguille creuse

Un mois plus tard, les travaux ne sont pas terminés, on attend la livraison des électroaimants qui doivent remplacer ceux qui ont été endommagés. La compagnie européenne qui avait fabriqué les originaux ayant fait faillite entre-temps, il a fallu repartir de zéro, ce qui a permis de procéder à la décontamination radioactive de chacun des quatre détecteurs à tour de rôle. C'est au tour d'Atlas. Le détecteur est désert depuis quelques jours, seul son cœur a été démonté. La décontamination devrait être terminée vers 12 heures ce lundi. Une équipe d'ingénieurs doit descendre dans le puits d'accès pour inspecter Atlas et évaluer la situation.

À peine ont-ils pénétré dans les bâtiments que des sirènes retentissent. Aussitôt, c'est un remue-ménage général. Les chercheurs mettent le nez à la porte de leurs bureaux, puis s'agglutinent dans les couloirs. Une même crainte, informulée, les taraude : va-t-on assister à un troisième accident ?

Au bout d'une minute angoissante, les sirènes se taisent. Francesca sort de son bureau, la mine blême, et rejoint les ingénieurs. Il est décidé de vérifier immédiatement l'état des électroaimants, car les sirènes signifient sans doute qu'ils se sont mis en marche, une fois de plus, malencontreusement. Ce sont donc douze personnes qui descendent à cent mètres sous terre, puis s'égaillent à droite et à gauche, et constatent, à leur grand soulagement, qu'il n'y a pas de dégâts apparents.

Malheureusement, ce soulagement est de courte durée. Francesca lance un cri d'appel et d'angoisse. Les autres la rejoignent. Au cœur du détecteur, une femme gît, raide, comme pétrifiée, les yeux ouverts. Francesca, de plus en plus pâle, se penche et pousse une exclamation étouffée : la victime est Charlotte. Son corps glacé, son regard fixe ne laissent aucun doute sur le diagnostic.

– Ne touchez à rien, dit Francesca. Je dois… je dois prévenir… oh !

Elle trébuche sur les mots, ne peut finir sa phrase. Elle s'enfuit presque en direction de son bureau… Puis se ravisant et sur un ton d'autorité, celui de la directrice prenant conscience de ses responsabilités, elle lance :

– Les ordinateurs se sont remis en marche, interdiction absolue de les arrêter, j'assume pleinement cette décision. Je me charge d'alerter la police.

Le détecteur Atlas en travaux.

Peu après, les ingénieurs se sont dispersés pour explorer les environs du détecteur et les énormes électroaimants toriques qui l'enlacent. En revanche, une dizaine de policiers locaux s'affairent autour de la victime. Le légiste a constaté le décès, qu'il situe entre 9 heures et 11 heures, causé par une arme (laquelle ?) qui a percé le front entre les deux yeux sans provoquer de saignement. On photographie, on relève des empreintes. Sur ordre explicite de Francesca, le corps de Charlotte est conservé par moyens cryogéniques et son autopsie est repoussée à plus tard.

L'un des inspecteurs, qui s'est un peu éloigné, fait signe au lieutenant provisoirement en charge. Une porte métallique, située juste en face du cœur du détecteur, est percée : un trou de quelques millimètres de diamètre. Et, derrière la porte, les policiers ramassent, de leurs mains gantées, une aiguille extrêmement fine. Certainement, c'est l'arme du crime, mais ils n'arrivent pas à comprendre le scénario.

– Cet endroit est diabolique, murmure le lieutenant.

Les autres policiers, prévenus, opinent intérieurement.

Pendant ce temps, Francesca a téléphoné au plus haut niveau. Charlotte était son amie, une des meilleures chercheuses du Cern. Même sans ces considérations, l'affaire est de toute évidence très grave. Son correspondant de Bruxelles est bien du même avis. Plusieurs personnalités sont consultées : elles sont stupéfaites, indignées, voire effrayées (quels mafieux, quels terroristes se cachent là-dessous ?). Vers 15 heures, Francesca est prévenue. Le commissaire Duparc, de la police judiciaire de Paris, et deux de ses adjoints, nommés Cerbois et Mathieu, viennent de monter dans un avion et vont arriver sous peu à Genève pour prendre l'affaire en main. Duparc a mené plusieurs enquêtes dans les milieux scientifiques et il connaît personnellement Francesca. Avant de suivre les cours de l'école de police, il a même préparé (sans succès) une licence de physique. De plus, Duparc, Cerbois et Mathieu sont tous les trois anglophones, un atout important dans ce lieu international.

Vers 18 heures, les trois policiers se présentent au bureau de Francesca. Deux pièces contiguës et communicantes leur sont offertes pour diriger l'enquête : le bureau 103 (c'est celui d'un chercheur provisoirement absent), où se dérouleront les interrogatoires – et un petit salon qui sert habituellement de lieu de réunion ; Duparc et ses adjoints y déposent leur matériel et y tiendront leurs séances de travail.

Duparc se rend auprès du corps, visible sous le couvercle transparent du conteneur à hélium. Cette femme était belle comme un ange, songe-t-il troublé en examinant son visage. C'est incongru mais elle me fait penser à Néfertiti. Le lieutenant local lui transmet les rênes et lui relate les dernières nouvelles. Grâce au trou dans la porte, la police scientifique a reconstitué la trajectoire de l'aiguille : elle est partie d'une petite cavité située symétriquement par rapport au cœur du détecteur, et elle a été projetée d'une manière ultraviolente par les champs magnétiques énormes déclenchés pendant l'incident de la matinée. L'aiguille est d'ailleurs creuse, elle pourrait avoir contenu un liquide – un poison, qui sait ? –, mais on n'en trouve pas trace.

Duparc charge ses adjoints d'interroger de manière aléatoire quelques chercheurs – une espèce d'enquête de voisinage – et retourne dans le bureau de Francesca. Il demande et obtient aussitôt des informations sur la victime.

Charlotte est née à Saint-Jean-d'Angély, elle avait 35 ans. Elle a fait des études secondaires puis supérieures brillantes, s'est d'abord orientée vers la biologie moléculaire, pour finalement soutenir très jeune une thèse de physique nucléaire. Elle s'est mariée à 23 ans, a divorcé à 30. Pas d'enfants, parents décédés, pas de famille proche. Elle menait une vie austère. C'était une directrice de recherche chaleureuse et inspirée. Francesca l'avait recrutée au Cern et était devenue son amie.

– Mais, demande Duparc, que faisait-elle dans le tunnel, blottie au cœur du détecteur ?

Francesca n'y voit aucune explication. Elle est sous le choc. Seul un chercheur du Cern ou, à la rigueur, quelqu'un de très bien renseigné sur son fonctionnement, pouvait monter un piège aussi machiavélique.

– Par ailleurs, avez-vous des renseignements sur la situation matérielle de la victime ?

– Vous pourriez les demander à son notaire, je sais qu'elle en avait un.

– Vous auriez son adresse, s'il vous plaît ?

– Je me souviens seulement qu'un jour où nous nous promenions dans la rue des Passiflores, Charlotte m'a montré des panonceaux en me disant : « Voici l'étude de mon notaire. » J'ai oublié le numéro, mais il ne doit pas y en avoir trente-six dans cette rue.

Duparc remercie Francesca et se retire. Il obtient facilement le nom du notaire et prend rendez-vous avec lui pour mercredi. Puis il se met en rapport avec les autorités suisses et avec le procureur (un homme de Bourg-en-Bresse) chargé de l'affaire : tous ont visiblement reçu des instructions d'en haut ; ils n'ont pas l'intention de lui mettre des bâtons dans les roues.

Après cet après-midi fatigant, il se retire, ainsi que ses adjoints (qui n'ont recueilli aucun indice utile) dans l'hôtel où trois chambres leur ont été réservées.

À 20 heures, il doit appeler sa femme. Elle attend son coup de fil. Bien qu'habitué aux scènes de crimes – et il en a vu d'horribles –, il éprouve, à chaque début d'enquête, le besoin d'entendre sa voix chaleureuse et un peu cassée. Le premier jour est difficile, on ne se familiarise pas avec le réel quand il est insupportable. Certains crimes sont parfaits, on le dit, en employant un adjectif qui peut choquer. Si accablé soit-il, Pierre Duparc s'interdit de parler de son métier au téléphone, mais se renseigne avec précision et gourmandise sur l'emploi du temps de son épouse qui, chaque fois – c'est une coutume, un jeu entre eux –, commence par lui dire :

– Mais tu n'es pas dans ton enquête, tu me confonds avec le suspect numéro un, Pierrot.

Ce à quoi il répond :

– Mais tu es mon suspect préféré, Lélette !

Passé cet échange, la détente s'installe et la conversation matrimoniale peut s'aventurer du côté de l'éditorial du *Monde*, du programme des prochains concerts, des dernières bêtises du chaton Barnaba, voire de la météo. On est dans la vie, et c'est bon.

Ce soir-là, dans sa chambre d'hôtel trop chauffée – les Suisses sont frileux –, Duparc est perturbé au point d'avoir presque envie de parler de cette femme superbe et mystérieuse qu'il a vue raide et glacée dans un endroit qui faisait songer à un mausolée antique. Il a aussi pensé à Néfertiti. À cause de sa beauté ? Pas seulement. Une momie ? En quelque sorte... L'enquête va être difficile au milieu de tous ces savants. Des gens susceptibles, les savants. Va-t-il réussir à leur en imposer ? Si l'un d'eux a quelque chose à cacher, il aura sûrement un temps d'avance sur lui. D'un autre côté, il a des marges de manœuvre. Sa hiérarchie en est tombée d'accord, quand on enquête au Cern, on peut ignorer certains interdits. D'ailleurs, n'a-t-il pas déjà transgressé quelques règles de procédure ?

Surpris par la sonnerie du téléphone, il décroche.

– Alors Pierrot, tu n'appelles pas ton suspect préféré ce soir ?

CHAPITRE 9

Les Indes noires

Duparc et son équipe fouillent le petit deux-pièces loué par Charlotte, cour Robert, 137. Bibliothèque d'une femme cultivée, avec beaucoup de livres d'histoire des sciences. Un rayon entier est consacré à des ouvrages de biologie moléculaire et aux principaux livres d'Édouard Plessis qu'elle semblait particulièrement apprécier. Certains exemplaires lui sont dédicacés. Les tiroirs renferment une foule de manuscrits scientifiques, certains plus scrupuleusement classés que d'autres, autant que leur compétence permette aux policiers d'en juger. Peu de bibelots, Duparc s'y attendait. Lors de ses enquêtes, il avait eu l'occasion de voir quelques intérieurs de scientifiques et de constater une certaine sobriété dans la décoration. Si les reproductions des plus grands artistes voisinaient souvent avec quelques posters d'astronomie, des gravures anciennes ou des aquarelles, il était bien rare d'y découvrir des vitrines surchargées de porcelaines de Saxe. Michel-Ange semblait incontournable, le Moïse surtout. L'appartement de Charlotte n'échappait pas à la règle, il vous saisissait dès l'entrée.

Sur les murs du living, des reproductions. Cette femme avait assurément un goût prononcé pour le Quattrocento, pour Fra Angelico et Piero della Francesca en particulier. Duparc apprécie en amateur. Il partage cette prédilection et s'est souvent fait la réflexion que les hommes, chez le peintre de Sansepolcro, planent, échappent à la pesanteur, mais pas les femmes, Vierges comprises. Cet artiste la séduisait-il parce qu'il était aussi mathématicien ou bien parce que ses personnages semblaient dormir les yeux ouverts ? Dans la chambre, le commissaire remarque deux autres reproductions, un Klee et un dessin de Fragonard, une illustration d'un conte de La Fontaine, *La Servante justifiée*.

Cerbois emporte l'ordinateur personnel de Charlotte pour une lecture approfondie.

– Tout éplucher va prendre du temps !

– Tu sais bien qu'on a des techniciens très performants, ne t'inquiète pas, répond Duparc.

Dans la cuisine, sur le plan de travail mais un peu cachés par le presse-agrumes, Mathieu trouve les restes d'une lettre dactylographiée calcinée, illisible sauf la dernière ligne qui ordonne : « Brûlez cette lettre. » Ce document semble important mais inutilisable. *In petto*, Duparc estime que la survie de la dernière ligne est

Fra Angelico, *Annonciation du triptyque de Pérouse*, 1437, Galerie nationale de l'Ombrie, Pérouse.

étrange. Il décide de transmettre les restes de la lettre à la police scientifique.

– Bien entendu on n'en parle à personne, d'accord ?

– *Of course, boss !*

Les enquêteurs font le point dans le petit salon. Qui avait intérêt à la mort de Charlotte ? On ne peut interroger tous les chercheurs du Cern, plusieurs centaines.

Duparc retourne voir Francesca.

– Charlotte, c'est entendu, menait une vie austère. Mais n'avait-elle aucune liaison ?

Avec réticence, Francesca reconnaît :

– Elle avait une liaison, que je désapprouvais, avec Bertram Young, un chercheur canadien du Cern.

– Pourquoi cette désapprobation ?

– D'abord, je m'entends assez mal avec Young, qui nous a été imposé, et que je n'estime pas. Il est brouillon, il prend tout le monde à rebrousse-poil. D'après des confidences de Charlotte, je le soupçonne de sécheresse de cœur.

– Pourriez-vous préciser ce que vous entendez par là ?

– À ma connaissance, il est très jaloux de nature, il faisait des scènes à Charlotte pour un oui ou pour un non, souvent pour rien, comme les hommes qui ne pardonnent pas aux femmes d'avoir une vie intéressante. J'ai l'impression que dans leur histoire il y avait plus d'amour-propre que d'amour, du moins chez lui.

– Vous voulez dire qu'il manquait de générosité ?

– Complètement. Et il était sensible au qu'en-dira-t-on, une attitude qui n'est plus de mise aujourd'hui, surtout ici.

– Pourquoi Charlotte restait-elle avec lui alors ?

– Elle devait y trouver son compte.

– Elle vous faisait beaucoup de confidences ? C'était une amie intime ?

– On peut dire cela. Pour en revenir à Young, je ne voudrais pas que vous pensiez…

– Je ne pense rien, madame, il est trop tôt, je me renseigne, c'est tout.

Francesca fournit à Duparc la liste des chercheurs qui avaient le plus de contacts avec Charlotte. D'abord, bien entendu, ceux de son équipe. Puis, Francesca décrit le rôle scientifique du professeur Tomachandraram et donne la liste de ses postdocs.

En début d'après-midi, Duparc interroge, dans le bureau 103, Cervantes, Picci et Gandhi. Il apparaît que la liaison de Charlotte avec Young n'avait rien de secret et faisait l'objet de gorges chaudes. Pourquoi ? Parce que Charlotte ne se gênait pas pour tromper Young.

– Je ne comprends pas, fait Duparc. Une femme si austère, d'après ce qu'on m'en a dit ?

– Elle était austère dans sa vie matérielle, dit Cervantes, mais pas dans sa vie sentimentale. Et puis elle se faisait des illusions sur les gens, sur les hommes plus particulièrement.

– Mais alors, Young devait être jaloux ?

Les trois chercheurs, visiblement embarrassés, se taisent.

– Pas de réticence ! s'exclame Duparc. Il s'agit d'un meurtre, ne l'oubliez pas.

Cervantes et Picci décrivent alors, à tour de rôle, la scène violente dont ils ont été auditivement les témoins. Duparc prend des notes.

Un rapport arrive de la police scientifique. Rien ne peut être reconstitué de la lettre, sauf un mot : Higgs. Duparc demande aux chercheurs si ce mot leur évoque quelque chose.

– Ah ! oui ! fait Cervantes en riant.

Suit une longue dissertation, où Cervantes parle de la découverte théorique, puis expérimentale, du boson de Higgs.

– Mais comment a-t-on pu en débattre théoriquement avant toute observation ? demande Duparc.

– Je ne peux vous l'expliquer, ce serait trop long.

– Vous voulez dire trop compliqué, trop difficile pour moi ?

– Je ne dis pas cela !

– Non, mais vous le sous-entendez !

Picci, voyant que la conversation prend un ton aigre, intervient.

– C'est une très longue histoire, monsieur le commissaire. À la vérité, assez peu de gens la connaissent. Il faut avoir suivi le feuilleton, car c'en est un, depuis le début si l'on veut avoir une chance d'y voir clair. Sans le Higgs, non seulement aucune des particules n'aurait de masse, mais en plus on perdrait une propriété essentielle de la physique que l'on appelle l'unitarité et qui demande que toutes les quantités qui représentent des probabilités soient des nombres compris entre 0 et 1.

– Vous avez le mérite d'être précis, mais..., dit le commissaire sans finir sa phrase.

S'adressant à Cervantes :

– Y a-t-il un rapport entre Charlotte et Higgs ? Je me permets de l'appeler Charlotte puisque tout le monde ici le fait. A-t-elle participé à la découverte expérimentale du boson de Higgs ?

– Pas du tout, mais elle a pris la suite de cette avancée. Nous recherchons maintenant un autre boson, encore plus massif que le boson de Higgs, et que nous appelons familièrement Big Broson.

Duparc note pour lui l'emploi de « recherchons » au lieu de « cherchons ». On dirait plutôt le langage d'un enquêteur. Est-ce du mimétisme ? Il reprend :

– Pourquoi « broson » au lieu de « boson » ?

– Par allusion à Big Brother. Car, s'il existe, Big Broson contrôlera tous les autres bosons, en un certain sens.

– Contrôlera ? En quel sens ?

– Je ne peux pas vous l'expliquer.

– Cette phrase commence à m'agacer. J'ai un cerveau de taille normale, vous savez.

– Si vous êtes prêt à écouter, avec une attention soutenue, un cours de deux ou trois mille heures, je pourrai vous fournir un début d'explication…, répond Cervantes sur un ton goguenard.

Duparc décide de mettre son amour-propre dans sa poche, il n'est pas de taille à lutter contre ces cerveaux élargis. Il lève les mains en signe de reddition et demande :

– Quand vous dites « nous recherchons », à qui faites-vous allusion ?

– Principalement aux chercheurs que vous avez en ce moment sous les yeux, et à ceux de l'équipe du professeur Tom.

– Le professeur et Charlotte étaient-ils en concurrence sur ce sujet ?

– Un peu, fait Cervantes après avoir hésité.

– La découverte de Big Broson serait-elle importante ?

– *Im-por-tante ?...* Elle vaudrait le Nobel à son auteur !

Cervantes se garde bien de parler des autres retombées de Big Broson, autrement plus lourdes de conséquences que le Nobel.

– Mais alors, Tom avait intérêt à la mort de Charlotte ?

– Doucement, monsieur le commissaire ! Tom a peut-être une vue trop satisfaite de lui-même, mais il est guidé constamment par sa religion, il respecte la vie avant tout. Je ne le vois pas assassinant qui que ce soit.

Que ne ferait-on pas pour le Nobel, songe Duparc, sans exprimer ses doutes à haute voix. Il congédie les témoins et demande à Ranee d'attendre dans le couloir.

Il lui semble que, chez les scientifiques, un prix Nobel ne se refuse pas. Chez les littéraires il y a au moins un contre-exemple célèbre. Duparc était très jeune à l'époque où l'« agité du bocal* » avait fait sensation en boudant ce prix prestigieux. Il doit bien exister des archives sur cet épisode marquant, songe-t-il.

À propos d'archives, il repense à *1984** paru en 1949, roman de science-fiction pour l'Occident, roman réaliste pour les pays de l'Est de l'époque. On y trafiquait allégrement le passé, on récrivait l'histoire en fonction des petits arrangements nécessaires aux dirigeants. Il y avait des fonctionnaires chargés de cette tâche toujours recommencée. Pour le lecteur, ces procédés donnaient la nausée, on avait l'impression d'être absorbé par des sables mouvants sur le point d'engloutir tous les repères. À quoi se raccrocher si le passé bougeait encore, se dérobant, à peine croyait-on pouvoir prendre appui sur lui ?

Il se souvient maintenant avec précision, il était dans une voiture et avait entendu à la radio ce passage de l'interview de Jean-Paul Sartre par Jacques Chancel.

J.-P. SARTRE. – Oui, le prix Nobel, par exemple, était une manœuvre de récupération. Mais je pense que je ne me laisserai pas récupérer, du moins tant que je vivrai. Après, peu importe.

J. CHANCEL. – Cette idée de récupération n'a pourtant jamais existé. Vous la prenez dans le mauvais sens.

J.-P. SARTRE. – Non, et elle est très importante. Un de mes amis, Teliger, un Yougoslave, appelle cela le « baiser de la mort ». Celui qu'à un moment donné, on essaie de donner à presque tous ceux qui écrivent ou agissent contre les classes dirigeantes. C'est-à-dire les honneurs, l'argent, des choses plus subtiles encore… Il y en a beaucoup qui, effectivement, sont récupérés de cette façon.

C'était dans *Radioscopie* en 1973, neuf ans après l'attribution à Jean-Paul Sartre du prix Nobel de littérature, ce passage était resté gravé dans sa mémoire.

Avant d'interroger la jeune Indienne, il prend le temps de réfléchir et de s'organiser. Le policier a maintenant deux suspects : Young et Tom. Il doit étudier leurs alibis pendant la période cruciale. Il charge Cerbois et Mathieu de collecter des renseignements sur Cervantes, Picci, etc. Il faut pour cela, vu le caractère cosmopolite de ces équipes, consulter les fichiers centraux des polices de France, d'Espagne, d'Italie, d'Inde, de Suède, de Roumanie et du Canada. Cela va prendre du temps !

Puis il fait signe à Ranee de réintégrer le bureau 103. Elle obéit, visiblement inquiète.

Ranee, originaire de la région de Madras, est une Indienne du plus beau noir. Elle est menue et porte avec beaucoup de grâce un *salwar kameez* en coton turquoise. Bien qu'elle soit en Europe depuis trois ans, elle n'a jamais eu envie d'adopter les tenues internationales des étudiants. Quoique timide, elle sait que le costume traditionnel du sud de l'Inde, par ses couleurs chatoyantes et ses tissus ondoyants, met bien mieux en valeur son élégance naturelle que les vêtements banals des jeunes branchés. Sa collection de *salwars* est impressionnante car Ranee est très respectueuse de la tradition. Pour rien au monde elle ne manquerait à certaines pratiques et il lui faut une tenue adéquate pour chacune d'elles.

Duparc lui propose un siège. Elle s'assied du bout des fesses et se tient très droite mais la tête légèrement inclinée, dans la posture si touchante des femmes indiennes.

– Mademoiselle, pendant l'entretien de tout à l'heure, j'ai noté à plusieurs reprises vos réticences.

En fait, Duparc a décelé sous la timidité de la jeune femme un autre trait de caractère qu'il espère mieux saisir. Mais Ranee est très intelligente, il va devoir se surpasser. Dans le fond, il aime bien les défis. Son métier lui en fournit une bonne ration chaque semaine – une chance !

– Ce qui frappe dans votre attitude, mademoiselle, c'est d'abord une extrême réserve qui dénote une grande élégance de caractère. On y sent aussi une éducation parfaite et une remarquable attention aux autres. Comme on aimerait que les jeunes étudiantes aient ce genre de respect pour leurs maîtres !

Duparc regarde Ranee : sourire poli, regard en attente de la suite. Elle reste muette. Il l'a peut-être exagérément flattée. Observant plus attentivement le costume traditionnel de la jeune femme, il enchaîne :

– Vous étiez sûrement une brillante élève. Quelle raison vous a poussée à vous lancer précisément dans la recherche en physique nucléaire ?

– Le besoin de comprendre.

– Je suppose que, comme beaucoup de vos concitoyens, vous êtes attachée à votre pays, peut-être même à une certaine idée de vos traditions. Ce ne doit pas être tous les jours facile de concilier vos recherches et vos valeurs.

– Jusqu'à maintenant j'y parvenais très aisément. Il suffit de ne pas dépasser les bornes permises.

– Les bornes ?

– Oui, l'histoire du monde est un éternel recommencement, un immense cycle contrôlé par les dieux et…

– En quoi consistent ces bornes auxquelles vous venez de faire allusion ?

– Eh bien, le chercheur scientifique peut tout s'autoriser tant qu'il n'intervient pas dans le déroulement du cycle.

– N'est-ce pas le cas dans votre équipe ?

– Si, jusqu'à maintenant.

– Vous voulez dire que, récemment, on a dépassé les limites ?

– Je le pense.

– Quand a eu lieu cette… rupture ?

– Lorsque Mme Dempierre, ces derniers temps, nous a fait part de ses projets – l'orgueil scientifique commençait à l'aveugler.

– Vous n'étiez pas d'accord avec ses projets ?

– Pas du tout ! Elle comptait, si j'ai bien compris, intervenir dans le déroulement du cycle contrôlé par les dieux, perturber le temps ; oui, perturber le temps ! Cela va à l'encontre des décrets divins.

Très perplexe, le commissaire reste sans voix. Ranee, elle, une fois lancée, continue sur un ton indigné :

– Oui, ici au Cern, les humains deviennent trop savants, trop puissants, trop orgueilleux !

Elle est agitée, presque tremblante. Duparc est aussi troublé qu'elle, il a l'impression qu'il fait trop chaud dans ce bureau.

– Merci, mademoiselle, de vous être exprimée sincèrement.

Il congédie Ranee en se demandant s'il n'a pas eu devant lui un troisième suspect, motivé, celui-là, par le fanatisme religieux. Ce serait un comble, on est au Cern !

CHAPITRE 10

Les douze millions de l'abbé Gomme

Duparc a oublié son TomTom*. Avant de trouver la rue des Passiflores, discrète et tortueuse, il s'égare un moment dans un quartier peu habité, aux petits immeubles sans style. En bon investigateur, il se dit que ces constructions quelconques, officiellement des bureaux, doivent abriter plus d'une dépendance secrète des grosses banques à pignon sur rue du centre-ville huppé. Un jour, Charlotte avait sans doute flâné dans cet endroit tranquille, déambulé dans son triste jardin public et son terrain de basket à l'abandon, la tête occupée par ses problèmes de physique, puis s'y étant un peu perdue, elle avait découvert la rue du notaire.

Duparc, qui a beaucoup d'imagination pour un policier normal, ne la voit pas en train de chercher un notaire dans un annuaire ou sur Google. Il avait fallu qu'elle fît cette promenade de santé et cette rencontre avec ce panonceau rassurant « Maître Popinot, notaire » pour avoir l'idée de mettre ses affaires en règle. Il constate que cette victime l'intéresse de plus en plus.

Après une station de durée moyenne – tout est mesuré chez les notaires – dans une pièce sombre et surchauffée où il doit se contenter de revues telles que *La Semaine juridique notariale*, *Actes pratiques et stratégie patrimoniale*, *Duralex sed Lex*, etc., pour tromper son attente, à 10 heures, Duparc est introduit par un clerc voûté prématurément, dans le bureau de maître Popinot.

C'est un homme pondéré, très pondéré, qui consacre plusieurs minutes aux présentations, aux banalités. Bien que français, il a attrapé l'accent suisse et le préambule prend des dimensions imposantes. Il vérifie soigneusement les papiers du policier, s'attarde sur la photo, garde ses commentaires pour lui et se déclare finalement prêt à lui détailler le patrimoine de Charlotte.

– Un patrimoine considérable, con-si-dé-rable !

– J'ai peine à le croire...

– Et pourtant... Il faut savoir qu'un cousin éloigné de Mme Dempierre, Albert Gomme, a émigré au Québec vers le milieu du XXe siècle. Il y a fait fortune par des moyens douteux – ou plutôt, non douteux... Tenaillé peut-être par les remords, il est devenu abbé !

– L'abbé Gomme, murmure Duparc.

– Mais il n'a pas gaspillé sa fortune pour autant. Et, sentant sa fin prochaine, il a tout légué à sa cousine Charlotte.

Maître Popinot prend le temps de savourer la surprise du commissaire.

– D'après ce que j'ai cru comprendre, il a subi des pressions de l'évêché, au Québec. La communauté des prêtres diocésains sur la côte de la Fabrique à Québec, Québec-Ville, s'était même engagée à faire apposer une plaque sur les murs de son séminaire et à lui faciliter l'accès à sa chapelle privée à toute heure pour qu'il puisse y prier s'il testait en sa faveur ! Vous êtes au courant, commissaire, de la pénurie de vocations. À Québec comme ailleurs, les séminaires et les locaux ecclésiastiques se dégradent. On a du mal à faire tourner la maison, on est en pleine crise de productivité.

– Et à combien s'est monté ce legs ?

– Les prêtres diocésains furent sûrement très déçus quand ils apprirent que le *de cujus** avait fait un testament authentique en faveur de sa cousine. Cependant, ils durent conserver quelque temps l'espoir d'un testament olographe et postérieur au testament susmentionné. Mais on ne trouva rien dans les soutanes de l'abbé et le désappointement de ces ecclésiastiques dut être à l'échelle de leur espoir.

– Oui, mais à combien s'est monté ce legs ? répète Duparc.

Côte de la Fabrique à Québec.

– Attention ! Il y a eu des droits de succession considérables…

Comme tous les notaires, maître Popinot aime compliquer les choses simples. Après quelques minutes, Duparc, impatienté, l'interrompt :

– Bref ?

Le notaire, un peu désarçonné, se résigne à la concision :

– Bref, plus de douze millions d'euros.

Duparc est stupéfait. Il réfléchit, puis pose la question cruciale :

– À qui appartient désormais cet argent ? Charlotte Dempierre n'a aucune famille proche.

– Elle a rédigé, il y a deux ans, un testament. Elle y explique sa dévotion au Cern et lègue tout à cette institution.

Nouveau coup de massue pour Duparc. Comme il prend congé, les idées se bousculent dans sa tête. Mais alors…

Il gagne le Cern, déjeune à la cafétéria, puis commence avec ses adjoints à vérifier les alibis d'une douzaine de suspects. Cela suscite beaucoup de mauvaise humeur. Young faisait son jogging, mais n'a croisé personne de connaissance. En ce qui concerne Tom, une infirmière se rappelle son passage à l'hôpital pour voir Lucescu, encore en dépression, elle l'a reçu fraîchement, les visites n'étant pas admises dans la matinée ; mais cet alibi n'innocente Tom que jusqu'à 10 h 30. Deux ou trois chercheurs seulement (dont Lucescu !) fournissent des alibis solides et vérifiables.

Duparc ne peut plus reculer. Très embarrassé, il retourne vers 17 heures voir Francesca pour la troisième fois. Il commence par évoquer avec elle de vieux souvenirs. Puis il enchaîne :

– Vous voici maintenant à un poste de haute responsabilité.

– Oui, et ce n'est pas drôle tous les jours, sans même parler du crime. Mon prédécesseur jonglait de manière acrobatique avec les budgets et m'a laissé une situation difficile, que je suis chargée d'apurer.

Duparc se précipite dans cette brèche, plus ou moins adroitement.

– À propos de finances, j'ai vu le notaire de Charlotte.

Et il décrit son entrevue avec maître Popinot. Francesca ne fait aucune difficulté pour reconnaître qu'elle était au courant du testament de Charlotte.

– D'après ce que vous m'avez dit, fait Duparc, ce legs arrive à propos.

– Vous n'insinuez pas, je suppose, répond Francesca en pâlissant, que j'ai assassiné Charlotte pour équilibrer mon budget ?

Le commissaire, très mal à l'aise, s'énerve :

– Excusez-moi, mais Young m'a dit que vous étiez une fanatique du Cern (ici, il bluffe) et je n'ai pas le droit d'ignorer la moindre piste.

Francesca, très froide, se lève pour signifier la fin de l'entretien : elle a une réunion du conseil d'administration. Duparc n'ose pas lui demander son alibi. Sortant du bureau mécontent de lui-même, de sa faiblesse, il se dit, pour s'exonérer, qu'on peut sans doute télécommander les électroaimants de n'importe quel endroit dans le Cern et même des environs, et que cette recherche d'alibis est parfaitement vaine.

Après quoi, il retourne à son hôtel, en pensant à la posture de Charlotte dans le détecteur. Il serait temps, grand temps, d'interroger son iPhone.

CHAPITRE 11

L'interdiction

Ce jeudi matin il y a autant de brume dans le cerveau du commissaire que sur la ville de Genève, une brume légère, dite « de chaleur » par les météorologues. L'observation des contours des bâtiments laisse présager une dissipation lente, confirmée par l'examen attentif du profil des platanes dont les troncs s'estompent, le léger brouillard rendant invisibles leurs minuscules protubérances, sortes de plaques aux formes irrégulières.

Duparc trouve que les interrogatoires, tout nécessaires qu'ils soient, se révèlent décevants. Il sait avec quel art un coupable, surtout s'il a eu la chance de passer par les salons du Quai d'Orsay et les écoles de rhétorique comme son dernier criminel en date, peut égarer la police. Rien de tel qu'une phrase habilement tournée ou modestement alambiquée, une métaphore roublarde pour aiguiller le plus vigilant des enquêteurs sur une fausse piste. Au Cern, assurément, il n'a affaire qu'à des scientifiques, pas à des diplomates, mais sait-on jamais ?

Il faut fouiller du côté de la technologie, un monde très sophistiqué mais où les nouvelles applications n'ont pas d'arrière-pensées. Cerbois lui avait remis l'iPhone de Charlotte, trouvé dans son sac. Consulter sa messagerie électronique s'impose comme première étape de recherche. Venu à bout du mot de passe pour débloquer l'appareil en utilisant la date de naissance de l'intéressée, mais déçu par l'impénétrabilité de cette messagerie électronique, il devra, pour lire les e-mails, avoir recours à un spécialiste de la sécurité informatique qui pourra faire sauter les verrous. Pour le moment, rien ne l'empêche de se concentrer sur les Apps* de l'iPhone, ces petits logiciels que l'on télécharge pour quelques euros et qui donnent accès à des services variés. Il n'est pas surpris de trouver chez cette chercheuse Skype, Kindle, Wolfram Alpha, Google Earth, etc. Ayant obtenu quelques résultats peu utiles à l'enquête, il est vrai, mais rassurants sur ses capacités d'initiative, il essaie d'approfondir la recherche. Il sent que ses petites cellules grises se réveillent. La persévérance finit toujours par payer, se dit-il.

À l'intérieur des réglages, il a la chance et la surprise de trouver un programme de localisation : première découverte… Il y a mieux. Ce programme est capable de fonctionner même si le téléphone n'est pas débloqué, et surtout de localiser celui-ci, donc son propriétaire, au mètre près grâce à Google Maps* : deuxième découverte. Duparc en attend d'autres car il a l'impression de saisir enfin un fil solide : dans une enquête, le plus important est de trouver un élément qui ne cadre pas avec les autres, ne paraît pas logique. Or, d'une part l'application permettait de localiser Charlotte où qu'elle fût, d'autre part cette dernière était une farouche protectrice de sa liberté et de son indépendance. Comment pouvait-elle accepter d'être suivie à la trace à n'importe quel moment et n'importe où ?

Le commissaire commence à se poser les bonnes questions quand Young se présente pour son interrogatoire.

Après les vérifications d'usage, Duparc insiste sur son côté jaloux que celui-ci accepte facilement de reconnaître.

– Je l'aimais plus qu'elle ne m'aimait. Ici on se moquait un peu de moi, plutôt gentiment, sauf Mme Rocca qui ne m'a jamais vraiment accepté.

– Incompatibilité d'humeur ?

– Sans doute.

– Vous qui voyiez Charlotte régulièrement et en privé, aviez-vous remarqué un changement dans son attitude ou dans son humeur dernièrement ?

– Dernièrement pas de manière sensible, mais quand elle est rentrée de Venise, il y a six mois, oui. Je pensais qu'elle allait revenir détendue, reposée, eh bien elle était plutôt stressée, même absente, à certains moments.

– Par exemple ?

– Il faut que je vous raconte deux épisodes. J'ai beaucoup hésité à venir vous en parler de moi-même. Je savais que vous avez un préjugé défavorable à mon égard, qu'on avait dû faire de moi un sinistre individu.

– Permettez, je crois savoir démêler les paroles authentiquement neutres des paroles malveillantes. Que vouliez-vous me dire ?

Young raconte au commissaire la soirée chez Charlotte à son retour de Venise, le coup de téléphone bizarre à 1 h 15 du matin et surtout le message menaçant dans la salle des suaires, juste au moment où elle s'y trouvait. Le commissaire prend de nombreuses notes, il est très grave, très concentré. Young continue :

– Charlotte était atteinte, elle qui prétendait avoir un sang-froid à toute épreuve, mais elle n'a jamais voulu se confier à la police, comme si elle craignait des représailles... Elle n'a plus abordé le sujet et nous avons essayé d'oublier ces deux épisodes. Elle semblait y être parvenue. En tout cas, elle donnait le change. J'avais l'impression qu'elle faisait d'énormes progrès pour se dominer en toutes circonstances et qu'elle avait acquis une remarquable maîtrise de soi. Peut-être pratiquait-elle le yoga. Du côté de ses recherches, elle était de plus en plus passionnée et avait réussi à embarquer Francesca dans son nouveau domaine de prédilection. Elles s'enfermaient souvent dans le bureau de cette dernière, et ce n'était sûrement pas pour parler chiffons !

Duparc écoute et réfléchit en même temps. Cette histoire de téléphone espion l'obsède. Rien de plus facile que de suivre à distance la jeune femme durant son séjour à Venise en observant le déplacement de son téléphone sur Google Maps. Pour l'effrayer avec le message enregistré, il suffisait alors d'un simple iPhone déposé au bon endroit, près d'un suaire, pour que le tour fût joué. Il était exclu que Charlotte ait intégré elle-même le logiciel de localisation dans son iPhone. Qui donc voulait lui faire peur ?

– N'est-ce pas bizarre qu'il n'y ait pas eu d'autres manifestations hostiles depuis six mois ?

– Il y a bien eu un courriel, envoyé à tous les membres du Cern, où il était question de Charlotte dans des termes déplaisants. Elle en a peut-être parlé à Francesca avec laquelle elle était de plus en plus intime, pas à moi en tout cas.

– Pour en revenir à votre relation avec Charlotte, je ne voudrais pas vous importuner, mais comprenez-moi, je dois faire avancer l'enquête. Vos collègues ont été témoins, auditifs, d'une scène de jalousie assez bruyante et dans laquelle vous avez prononcé une parole menaçante : « Le dieu Hödhr est plus malin que tu ne crois. » Étaient-ce bien les termes employés ?

Young blêmit mais acquiesce.

– Oui c'est exact, j'étais hors de moi et je voulais faire peur à Charlotte pour me venger de son infidélité, figurez-vous que...

Le dieu Hödhr.

– Oui, je suis au courant… Mais Hödhr, c'est un dieu aveugle et méchant dans la mythologie nordique, n'est-ce pas ? J'ai peine à croire que vous ayez fait référence à cette divinité. Ici, au Cern, elle ne doit pas avoir beaucoup d'adeptes. En revanche, il existe bien un chercheur de ce nom dans l'équipe rivale : un scientifique suédois à l'allure militaire ? dit Duparc sur un ton qu'il veut engageant.

– C'est exact, nous sommes parfois amenés à nous croiser.

– Pourquoi l'avez-vous choisi, si je puis dire, comme épouvantail ? Est-ce parce qu'il est toujours habillé de noir, qu'il est mal rasé et qu'il agite les bras plus que nécessaire pour permettre à ses assertions de prendre leur envol ?

Young sourit, un peu plus à l'aise.

– Quand Charlotte m'a mis au courant de ses inquiétudes, j'ai observé plus attentivement les faits et gestes des gens de son entourage. Je vous vois sourire...

– Continuez !

– Oui, comme tous les jaloux, j'ai un œil assez précis et sélectif. Deux personnes m'ont paru s'intéresser de très près à ma maîtresse, mais pas pour ses charmes, Cervantes et Hödhr justement. On aurait dit qu'ils étaient chargés de la surveiller. Cervantes voulait toujours savoir sur quoi elle travaillait le week-end, par exemple. L'attitude de Hödhr était bien différente. Membre de l'équipe concurrente, il avait beaucoup moins d'occasions de rencontrer Charlotte, mais il s'arrangeait pour la coincer près de la machine à café ou dans la salle d'informatique. Charlotte avait l'air mal à l'aise avec lui, très contrariée. Plus d'une fois j'ai dû intervenir pour la libérer de cette sangsue. Un jour, j'ai même été obligé de le poursuivre jusque dans les toilettes pour récupérer l'iPhone de Charlotte qu'il venait de lui emprunter pour soi-disant passer un coup de fil urgent. L'attitude de Hödhr, son regard noir ne me revenaient pas, mais il n'y avait pas de jalousie dans mon antipathie à son égard. J'essayais de comprendre son insistance. Linus Hödhr est sûr de lui, trop pour un chercheur. Le doute ne semble pas faire partie de ses valeurs. Je me demande pourquoi le professeur Tom l'a recruté. Personne n'oserait le prendre en auto-stop.

– Il est sans doute très futé.

– Tom aime s'entourer de personnes qui lui ressemblent, rigides et froides.

– Dites-moi, Hödhr n'est-il pas végétarien, lui aussi ?

– Pas que je sache.

– Bien, je reviens en arrière. Vous êtes certain que Charlotte a gardé la même attitude dernièrement ?

– Oui... Toutefois, après ma crise elle m'a interdit sa porte, ajoute Young piteusement.

Le commissaire libère Young. Il croit avoir le temps de faire le point avec ses adjoints lorsque Cervantes entre dans le bureau 103.

– J'ai des choses à vous dire, commissaire. Accepteriez-vous de boire un verre avec moi ?

– Je suis à vous.

Les deux hommes se rendent à la cafétéria, à peu près vide, se munissent de boissons et s'installent à une table isolée. Cervantes sort quelques papiers de son veston et les donne au commissaire. Celui-ci, après les avoir lus, contemple Cervantes d'un œil neuf.

– Oui, dit Cervantes, la Commission de Bruxelles est, comme vous le savez, un organisme énorme, avec la complexité d'un État. Et, comme tout État, elle dispose de services secrets. Je suis non seulement chercheur, mais aussi agent d'un de ces services. Le Cern constitue un investissement très coûteux, et il importe que la Commission dispose d'un contrôle indépendant de la direction. Depuis l'assassinat de Charlotte, j'ai reçu mission d'entrer en contact avec vous.

Duparc incline la tête et attend la suite.

– Le mois dernier, Charlotte a réuni son équipe. Elle nous a fait un exposé mi-philosophique mi-scientifique, qui m'a pas mal perturbé. La physicienne hors pair qu'elle était nous a éblouis, comme d'habitude, par des suggestions originales et prometteuses. Mais les idées principales, les idées d'ensemble, étaient... je ne sais pas comment les qualifier. En tout cas, si elles étaient diffusées *telles quelles*, elles susciteraient dans la communauté scientifique un scepticisme quasi général ; un scepticisme, ou peut-être pire : un immense éclat de rire. Et cela, nous devons l'éviter par tous les moyens.

– Voulez-vous dire que ces idées étaient utopiques, à la limite de la science ?

– Je pense que ses idées avaient un véritable fondement scientifique, mais comme toute découverte révolutionnaire, elles se prêtaient facilement à une caricature dont les journalistes se seraient emparés sans aucun scrupule. Seule Charlotte les dominait suffisamment pour éviter cette dérive.

– Quelles étaient ces idées tellement hétérodoxes de Charlotte et en gros, quelles étaient leurs implications ?

– Tout simplement une remise en cause de la stabilité du passé, rien que cela !

– Si c'est le cas, je comprends votre inquiétude, mais j'aimerais en savoir plus. Après tout, notre civilisation, notre logique, l'histoire, l'archéologie reposent toutes sur notre croyance dans l'existence d'un passé fixé une fois pour toutes.

– Je n'ai pas entièrement compris les explications de Charlotte, sauf que le quantique remet tout en question.

– Donc je n'ai aucune chance de comprendre, mais je vois mal comment on pourrait s'accommoder d'un passé qui conduirait à des contradictions avec le présent. Cela est interdit par la causalité.

– Oui, l'esprit humain est ainsi fait qu'il cherche constamment à reconstruire un passé plausible. La mécanique quantique nous enseigne, par exemple avec ce que l'on appelle les expériences du choix retardé* de John Wheeler, que cette vision du monde est une simple approximation de la réalité. Cela marche parfaitement pour les phénomènes macroscopiques, mais ne s'applique plus dans le quantique.

– Parce que le quantique c'est le microscopique, si je vous suis bien ?

– Oui, mais justement Charlotte pensait avoir trouvé un moyen d'amplifier des effets microscopiques pour les rendre macroscopiques.

– Je suis sûr qu'elle n'était pas la première à avoir cette idée. De quel élément nouveau disposait-elle ?

– C'est assez confidentiel, et de toute façon cela ne vous dira pas grand-chose...

– Merci quand même !

– Le coupable, c'est le Big Broson, son sujet de recherche actuel, dont je vous ai déjà parlé !

– J'y vois plus clair, mais c'est effrayant.

– Vous me comprenez bien, monsieur le commissaire. Naturellement, je ne suis pour rien dans le crime. Mais puisque Charlotte elle-même a malheureusement disparu, il faut obtenir le silence de Picci et de Gandhi. Je pense, j'espère qu'elle n'a expliqué son projet à personne d'autre.

– J'en parlerai à Gandhi et n'aurai sans doute aucune difficulté. Débrouillez-vous pour convaincre Picci sans dévoiler votre vrai statut et tenez-moi au courant…

Cervantes se retire. En somme, songe Duparc, je vais contribuer à la mise sous le boisseau de vérités scientifiques. Il y a donc des cas où la diffusion de la science doit être interdite… C'est contraire à ma philosophie, je ne pensais pas en arriver là.

CHAPITRE 12

Ali et les quarante milliards de neurones

Le commissaire Duparc est un grand persévérant à la sensibilité intéressante. Approchant de la cinquantaine, il est en pleine possession de ses qualités, curiosité, lucidité, flair, courage ; et de ses défauts, susceptibilité, entêtement. Sa hiérarchie lui reproche parfois une certaine lenteur dans la conduite de son travail. Par ailleurs, son goût prononcé pour l'art de la Renaissance avait failli, cinq ans auparavant, lui faire commettre une erreur professionnelle. Un coupable, collectionneur émérite et grand spécialiste du Quattrocento, ayant déclenché chez lui une empathie hors de propos, avait été sur le point d'échapper à la justice.

Consommer du temps et de l'énergie lui semble un investissement normal pour parvenir à un résultat palpable. Sa dernière enquête dans le milieu des ambassades l'avait conforté dans son idée que le temps détruit vite ce que l'on a construit sans lui. Il avait progressé à tout petits pas, sans flash de révélation, et s'en était tiré remarquablement. Il n'est pas du genre à se gargariser de la phrase « Bon Dieu, mais c'est bien sûr ! » comme le commissaire Bourrel, son maître, son patron et son ami. Au Cern, côté lenteur, il est servi. On fait du surplace sur le tapis roulant des particules. Ses deux adjoints ne sont guère efficaces. Impressionnés par tous ces savants, ils prennent peu d'initiatives, restent réservés comme des Genevois. Duparc s'accorde un bilan positif pour la confiance qu'il semble inspirer aux suspects. Il ne désespère pas de se faire expliquer des notions de base en mécanique quantique, il en brûle d'envie. Peut-être Picci pourrait-il l'initier ? Ou même Cervantes, qui le prend de moins haut depuis la révélation de son vrai statut. Maintenant ils partagent un secret et, selon toute vraisemblance, il peut l'exclure de la liste des suspects. Et Young ? Sincèrement atteint par la mort de Charlotte, il lui a fait des confidences. Il est inutile de le passer au détecteur de mensonges, son corps parle ouvertement. Duparc commence à le plaindre. Mais quand même ! Il est très jaloux… Alors ? Et Ranee ? Si authentique dans son indignation métaphysique. Disons que la mort de Charlotte l'a soulagée d'un gros problème religieux… de là à provoquer cette mort, elle qui respecte toute forme de vie animale…

La première réaction de Francesca devant le cadavre de Charlotte fut, paraît-il, éloquente, mais les femmes sont des comédiennes époustouflantes. La directrice est plutôt fuyante, elle a toujours des masses de problèmes à régler. Elle s'agite beaucoup. Pourquoi ? Elle ne coupera pas à un solide interrogatoire.

Il revient à sa discussion avec Cervantes, trop vite évacuée. Certes, les explications fournies par ce dernier éclairent sa curiosité insatiable, remarquée par Young, du travail de Charlotte. Bon ! Cervantes a joué cartes sur table, papiers officiels à l'appui. Il n'empêche ! Un homme de l'ombre qui fait subitement toute la lumière sur sa mission, en disant obéir à Bruxelles, et devant le verre de l'amitié ou peu s'en faut...

Respectant son tempo habituel, Duparc trouve prématuré de poursuivre dans la foulée les interrogatoires supplémentaires, ceux de Tom, Hödhr et Francesca, avant d'avoir résolu le problème de la messagerie électronique de Charlotte. Un tel verrouillage laisse présager une découverte de taille. Mais de taille, lui Duparc, il ne l'est pas pour ce genre d'exploit, décrypter les mails.

Il serait temps de partir à la recherche de l'homme de la situation, de l'informaticien providentiel qui fera avancer l'enquête. On est au bon endroit, au Cern, où la « Toile » a été inventée ; on y dispose du personnel idoine, avec les meilleurs spécialistes mondiaux, des appareils les plus performants : des salles remplies des ordinateurs dernier cri, sans parler de la « grille de calcul » qui utilise à discrétion les ordinateurs du monde entier.

S'étant renseigné le plus discrètement possible, il obtient des avis convergents tels que : « Allez voir Ali Razavi, c'est le meilleur… Personne n'est plus efficace qu'Ali… Commissaire, c'est Ali qu'il vous faut pour résoudre votre problème de blocage… Rien ne résiste à Ali, le champion du cryptage… Ali est un cador… »

Duparc, impatient de rencontrer ce phénomène, se dirige tout frétillant vers le bureau de son futur sauveur. Une pensée lui traverse l'esprit : et si Ali partait en week-end dès le vendredi puisqu'il est à moitié au chômage en ces temps de réparations ? Pourtant, devant le bureau 137, quelque chose lui dit que l'as des as est présent et sera tout disposé à l'aider, vu sa disponibilité. C'est un commissaire optimiste qui toque à la porte une première fois. Rien. Frapper fort aux portes, il sait le faire depuis l'école de police. Après deux tentatives, il n'obtient qu'un « Meu-uuh » désarticulé, presque meuglé, qui l'invite, si l'on peut dire, à entrer. De toute évidence, il dérange.

Deux pieds chaussés de baskets neuves aux semelles de plomb sont délibérément ancrés sur le bureau. Rien à redire sur le jean et le sweater, le col de chemise impeccable, chic même, et le modeste surpoids de la personne qu'il observe. Bras pliés derrière la tête, visage bronzé, cheveux châtains, dociles. L'ensemble est conforme au portrait-robot qu'on lui a fourni.

Un choc cependant : deux yeux immenses, sombres mais vifs, épatants, qui ont déjà perçu que l'intrus ne venait pas pour une visite de courtoisie. Soupir discret, pas de sourire. Duparc ne saurait dire ce qui l'impressionne le plus des quatre écrans d'ordinateurs en pleine activité ou du grand maître desdits ordinateurs. Il règne une véritable frénésie dans les machines et une placidité parfaite chez l'informaticien qui fait penser à un chat plongé dans ses rêves. Sur les écrans, des lignes de codes défilent de manière interminable. L'un d'eux attire particulièrement son attention. S'y dessine une figure d'une complexité ahurissante et dont les contours extérieurs rappellent vaguement la projection d'un cerveau humain. Le commissaire est interloqué, mais dit sur un ton neutre :

– Je vois que vous êtes très occupé. Je suis le commissaire Duparc chargé de l'enquête sur le meurtre de Mme Dempierre. En cette qualité, je vais me permettre de vous déranger dans votre travail.

– D'accord, une petite seconde, il faut que j'arrête le processus en cours, sur lequel je bossais.

Sans changer de position, Ali pianote quelques instants, le visage fermé, toujours impassible. Duparc attend, de plus en plus perplexe.

– Bon, allez-y maintenant, qu'est-ce que vous voulez savoir ?

– Pour les besoins de l'enquête, j'ai essayé de lire la correspondance e-mail de la victime, mais elle est cryptée. Il paraît que vous êtes le seul à pouvoir m'aider.

– Désolé, je suis vraiment trop pris par mes calculs.

Il hésite et reprend :

– Même si j'en avais le temps, je ne suis pas certain que décrypter ces e-mails correspondrait à mon éthique.

– Il s'agit d'un meurtre, c'est grave.

– De toute façon, je ne peux pas vous aider, il est impossible de décrypter les clés actuelles.

– Vous en êtes sûr ?

– Absolument. Allez donc vérifier avec le professeur Tom.

Le commissaire se dit que cet informaticien récalcitrant aura droit à un interrogatoire, même si cela blesse son éthique. Mais avant de quitter ce bureau ou plutôt ces ordinateurs surexcités, il ne peut résister à sa curiosité :

– Cet écran suggère la forme d'un cerveau, qu'est-ce que c'est ?

Le visage d'Ali s'éclaire et il répond d'un ton plus aimable.

– On appelle cela un réseau de neurones. Il est fondé sur un modèle simplifié du neurone biologique. C'est un cas particulier des algorithmes d'apprentissage… Vous semblez intéressé ?

– Énormément… Mais vous êtes très occupé.

– Je peux tout de même vous consacrer quelques minutes. D'ailleurs, les réseaux de neurones sont une de mes spécialités et j'adore en parler.

– Merci. Je vous écoute.

– Un réseau est destiné à faire des tris, à prendre des décisions, presque toujours dans un contexte statistique. Au départ le réseau est parfaitement stupide, il lui faut donc subir une phase d'entraînement. Pour cela on lui soumet un échantillon connu à trier et on compare la réponse du réseau à la réponse correcte. On corrige alors un peu le réseau dans le bon sens.

– Oui, mais comment ?

– L'explication, trop difficile pour être détaillée complètement, fait intervenir l'architecture du réseau. Les « neurones » qu'il contient sont reliés par l'analogue des synapses* ; cet analogue est gouverné par une certaine fonction mathématique… Toujours est-il qu'après plusieurs essais, de très nombreux essais, les synapses s'adaptent peu à peu au problème posé, et le réseau est prêt à fonctionner sur un échantillon quelconque.

– Je crois comprendre. D'ailleurs l'homme, et notamment l'enfant, ne font-ils pas leur apprentissage de manière similaire ?

– Tout à fait.

– En quoi ces machines à trier peuvent-elles être utiles au Cern ?

– Comme vous le savez, nous réalisons, dans les tunnels, des collisions entre particules élémentaires. Pour chaque expérience, il faut des millions de collisions. La plupart d'entre elles donnent un résultat sans intérêt. Il faut trier le petit nombre de collisions, parfois seulement une dizaine, pour lesquelles le phénomène observé est significatif... Le réseau de neurones va apprendre à les sélectionner et à rejeter tout ce qui a de fortes chances de n'être que du bruit de fond. Il trie dans l'aléa quantique pour en extraire du sens. Voilà !

Ali, c'est évident, est passionné par son sujet et Duparc boit ses paroles. Sur un des écrans, des chiffres attirent l'attention de l'informaticien qui arrête son exposé technique.

– Maintenant pardonnez-moi, mais je dois vraiment reprendre mon travail.

Duparc le remercie et se retire. Suivant le conseil d'Ali, il se rend dans le bureau de Tom. La secrétaire du professeur lui dit que son patron est absent. Il prend rendez-vous pour le lendemain bien que ce soit un samedi. Puis il convoque Linus Hödhr dans le bureau 103. Au préalable, il a téléphoné à Francesca pour éclaircir une question soulevée la veille par Young.

Hödhr, plus charbonneux que jamais, frappe à la porte, entre et s'assoit sur invitation du commissaire qui commence l'interrogatoire en père de famille bienveillant.

– Monsieur Hödhr... J'ai déjà sous les yeux tous les renseignements concernant votre identité... Passons... et vos études... très brillantes... Félicitations... Quelles étaient vos relations avec votre patronne, Mme Dempierre ? Amicales ? Confiantes ?

– Mme Dempierre n'était pas ma patronne, car j'appartiens à l'équipe du professeur Tomachandraram. Nos relations étaient… espacées, mais cordiales.

– En effet, excusez-moi, je vois que je me suis embrouillé dans mes documents. L'un d'entre eux m'apprend que vous étiez d'abord candidat à un poste dans l'équipe de Mme Dempierre. Est-ce exact ?

Hödhr rougit désagréablement et acquiesce.

– Mais alors, pourquoi vous retrouvez-vous dans l'équipe du professeur Tom ?

– Mme Dempierre, surchargée de travail, ne pouvait m'accueillir.

– Monsieur Hödhr… Il convient que toute la lumière soit faite. J'ai sous les yeux des témoignages, des documents. Je compte sur votre entière sincérité. Alors ?

Hödhr hésite puis se résigne.

– Mme Dempierre n'appréciait pas mes travaux.

Et, comme Duparc reste silencieux, attendant visiblement une suite :

– Oui, elle a écrit un rapport défavorable sur moi, un rapport accablant, qui ne me laisse aucune chance de rester au Cern au-delà de mes deux années de postdoc.

– Ce rapport était certainement confidentiel. Comment en avez-vous eu connaissance ?

– Elle me l'a lu, la garce !

La digue a cédé, Hödhr se répand en injures plus ou moins obscènes.

– Voilà qui est plus franc ! Vous détestiez Mme Dempierre, n'est-ce pas ?

– Oui ! Oui ! Oui ! Son rapport était monstrueux, d'une injustice flagrante.

Duparc décide de bluffer :

– Et pour la punir, vous n'avez pas hésité devant quelques mesures de rétorsion.

– Je ne l'ai pas assassinée ! Je me suis contenté de...

Hödhr se tait. Le commissaire, tout en tapotant son dossier, qui en réalité est presque vide, demande :

– Allons, racontez-moi, à votre manière, ces mesures de rétorsion.

– Je l'ai surveillée, de façon sans doute un peu trop voyante. Je lui ai téléphoné, anonymement, certaines nuits. Je l'ai suivie pendant un voyage qu'elle a fait à Venise, en espérant avoir prise sur elle – ses frasques défraient la chronique au Cern. Comme j'ai échoué, j'ai tenté de la déstabiliser à la fin de son voyage grâce à une petite combinaison informatique. Et c'est tout ! Elle méritait pire.

Duparc n'en espérait pas tant. Il déclare d'une voix austère :

– Vous comprendrez aisément, monsieur Hödhr, que vous faites partie des suspects. Où habitez-vous ?... Ah, je vois, ici même. Vous voudrez bien ne pas quitter le Cern sans mon autorisation.

Duparc, content d'avoir quelque peu avancé, congédie Hödhr.

Un peu plus tard, il aperçoit Francesca et Young en discussion visiblement acrimonieuse. Il décide de tâter Young en plaidant le faux pour savoir le vrai.

– De différents côtés, lui dit-il, on m'affirme qu'une compétition scientifique virulente existait entre Charlotte et Tom. Que savez-vous à ce sujet ?

Francesca s'interpose :

– Il est grotesque, commissaire, de soupçonner Tom d'assassinat : un végétarien !

– Permettez, dit Young, Tom est peut-être végétarien dans la vie courante. Mais j'ai participé avec lui à quelques gueuletons lyonnais festifs pendant lesquels il ne crachait pas sur une bonne andouillette !

Francesca, furieuse, rompt le contact, et Young ne répond nettement à aucune question.

Le soir tombe et Duparc déprime. Tous ces suspects… qu'on lui fournit sur un plateau, pense-t-il. Une impression, qu'il a déjà ressentie fugitivement, lui revient, plus forte : en réalité, quelqu'un le manipule ! Ce serait un comble, se dit-il, que je sois le Pierrot de la Francesca !

CHAPITRE 13

Neuf courriels effervescents

Pour lutter contre le gaspillage, l'administration se montre parcimonieuse dans la distribution de l'éclairage, surtout celui des couloirs, où la semi-obscurité présente pourtant quelques avantages. Omettre de saluer un collègue agaçant ne sera pas retenu comme une impolitesse, mais comme une légère inaptitude à distinguer certains traits dans la pénombre. Toutefois, la haute stature de Tom et son regard fulgurant ne permettent à personne d'incriminer la pénurie de photons pour justifier une incivilité. Il est trop repérable.

Duparc l'a déjà aperçu deux fois en traînant dans les corridors, mais, n'ayant pas été présenté, il n'a pas cru bon de se manifester. Il aurait salué un bloc d'indifférence. Rencontré en plein air, par temps froid et vent glacé, Tom donne l'impression d'être complètement insensible tant il se tient droit. Sa raideur impériale semble le protéger des intempéries. N'est-il pas en bronze ? Sa couleur de peau rappelle celle des statues antiques qui ont échappé à l'empreinte du temps et au vert-de-gris. On pense aux nobles patriciens de la République, on l'imagine aussi à cheval, impassible sous la neige de la Berezina, un masque de fierté sur le visage.

Le commissaire ne s'attend pas à rencontrer un joyeux luron et sait que son équipe est composée en partie de personnes austères, parfois dépressives. D'après les rumeurs, certains postdocs, après avoir tenté leur chance auprès d'autres patrons plus chaleureux mais surchargés, ne se sont adressés à Tom qu'en dernier recours. Sans faire vraiment peur, il ne rassure que les ascètes. Très bon chercheur, il a obtenu des résultats substantiels dont il aime se vanter dans un style guindé.

Duparc lui a demandé de passer à 11 heures au bureau 103, mais il n'est pas tout à fait à l'aise. Il se répète : surtout n'oublie pas qu'il appartient à une caste dominante, qu'il est imbu de sa supériorité de brahmane et de végétarien. Essaie de glisser que tu adores le darjeeling de printemps, *first flush*, le gopaldhara.

Très ponctuel, regard altier, sans la moindre esquisse de sourire sur son visage osseux, Tom salue Duparc du haut de sa prestance. Celui-ci, un rien troublé, a l'impression fugitive de recevoir Ramsès II dans son bureau. Est-ce bien Tom qu'il fait entrer ? Que va-t-il lui offrir comme siège ? Un pharaon ne s'assied que sur un trône !

L'entretien s'organise, le dialogue avance et, de fil en aiguille, le commissaire lui fait éclaircir deux ou trois points de son emploi du temps. Agréablement surpris par la bonne volonté du « témoin », il remarque que Tom répond avec tact et précision à toutes ses questions. Au moment du drame, à sa sortie de l'hôpital où il a rendu visite à Lucescu, il prenait un brunch chez Schneider, un *Konditorei* réputé du centre-ville, le seul endroit où un Indien peut trouver un teesta valley (*second flush*), parfaitement adapté au brunch. Tout cela est aisément vérifiable. Avec les membres de son équipe, il a évidemment une attitude de mandarin – Duparc s'y attendait –, mais il s'intéresse authentiquement à eux. Linus Hödhr lui a, au début, posé quelques problèmes. Son sujet de recherche était trop particulier, mais tout s'est vite clarifié. Tom « admirait » Charlotte, « une immense perte pour la science », murmure-t-il, impénétrable. Derrière son attitude flegmatique, Duparc détecte d'innombrables séances d'hathayoga.

Reste la partie la plus délicate de l'entretien, obtenir la collaboration de Tom pour le décryptage des courriels de la victime. Le commissaire s'y prend comme un chef, joue la nuance à fond, insiste sur la discrétion de l'opération, tout en présentant cette entreprise comme une occasion de briller aux yeux de Francesca. À peine a-t-il posé la question que la réponse de Tom le surprend vraiment ; la voix est grave, posée et le ton catégorique :

– Aucune technique ne le permet. La seule chose que je puisse vous dire, la seule manière de résoudre ce problème est d'accéder au KeePass* de Mme Dempierre. Il y a une chance sur deux pour qu'elle ait un KeePass et que s'y trouve la clé de cryptage que vous cherchez. Ce sera un dossier en .asc. Mais moi-même je ne peux rien pour vous… j'en suis infiniment contrarié.

Ainsi s'achève ce bref interrogatoire, et le commissaire est dépité. Qui pourrait bien l'aider ?… Il faut vite trouver. L'enquête s'essouffle. Inspiré par les derniers mots du professeur, il se souvient du stratagème utilisé par Hödhr pour suivre à distance Charlotte lors de son séjour à Venise. Hödhr a-t-il accédé au KeePass de Charlotte ? C'est tout à fait plausible. Duparc convoque immédiatement Hödhr dans son bureau. Un quart d'heure plus tard, il joue cartes sur table.

– Nous savons tous les deux que vous avez fait subir un chantage à Mme Dempierre. Pour parvenir à vos fins vous avez dû installer sur son iPhone un système de repérage sans son accord… Je suis prêt à ne pas en tenir compte dans mon enquête, mais je vous laisse choisir : soit vous m'aidez en répondant à la question que je vais vous poser, soit…

Hödhr hésite, mais connaissant les preuves dont dispose le commissaire, il est obligé d'acquiescer.

– J'accepte…, dit-il soulevant ses bras à l'horizontale.

– Eh bien, pour pouvoir mettre à son insu dans l'iPhone de Charlotte le système de repérage, il a fallu que vous accédiez d'abord à son KeePass. Je dois absolument y accéder moi-même, j'ai donc besoin du mot de passe qui permet d'y entrer.

Hödhr a l'air soulagé de s'en tirer à si peu de frais. Il donne à Duparc le mot de passe, neuf lettres, celles des premiers mots d'une strophe célèbre que Charlotte affectionnait depuis son adolescence et qu'elle citait à tout bout de champ : « unsoirten »…

Sur ce, Duparc, aux anges, congédie Hödhr et prend l'iPhone de Charlotte. Il trouve le KeePass, y pénètre facilement avec les neuf lettres et commence à en explorer le contenu. Il y repère un dossier « clés » et un fichier « charlotte.asc » qui lui permet enfin de décrypter les messages de la victime sur son ordinateur personnel.

Quelques courriels anodins, plutôt sentimentaux, défilent sur l'écran.

6 mai, 19:06

Mon chérubin du Léman,

Je repense souvent à notre visite des enfers. Malgré mon léger malaise, je m'en souviens comme d'un moment précieux. Tu étais mon guide, belle Charlotte, et grâce à toi j'ai pu remonter du centre de la Terre, échapper aux forces du mal et suivre la Voie, la voie cyclable, poussé par un frais

zéphyr jusqu'à la grotte où, archange aux pieds fourchus, je te désirais tant. Tu as su me transformer en séraphin pleureur, extasié de bonheur. Mille pardons pour le style, mais le cœur y est. Raconte-moi ta vie, ta Passion de chercheuse. Ici à Bures, les déjeuners sont toujours aussi intéressants. Un spectacle hilarant et surtout des dialogues du tonnerre !
Je t'embrasse
Armand.

PS. Sais-tu que l'Erebus est un volcan sur l'île de Ross dans l'Antarctique, on a donc bon sur toute la ligne ! (de bus).

*

7 mai, 17:09

Mon très cher Armand,

Merci pour le pastiche (Loti ?), ta façon à toi d'enrubanner ta timidité. J'en suis très émue et je t'envoie une nourriture plus germanique (Werther) : *Lorsque le matin, dès le lever du soleil, je me rends à mon cher Wahlheim ; que j'y cueille moi-même mes pois gourmands dans le jardin de mon hôtesse ; que je m'assieds pour en ôter les fils, en lisant Homère ; que je choisis un pot dans la petite cuisine ; que je coupe du beurre, mets mes pois sur le fourneau…*
À toi de voir si je dois continuer dans cette veine.
Mon idée folle se cristallise, tu auras bientôt des précisions, je n'ose pas dire du concret. Serais-

tu d'accord pour une correspondance sérieuse et constructive, du genre de celles que l'on publie quand les gens sont arrivés au ciel ou à l'arrêt de bus ? Ce à quoi je tiens par-dessus tout, c'est à ta sincérité, j'aimerais vraiment que tu me donnes ton avis et que tu m'aides…
Bien à toi,
Charlotte.

*

9 mai, 19:30

Chère Charlotte

Merci pour l'« homme aux pois gourmands », je me suis régalé d'en cuisiner en pensant à toi. Tu es ma fleur des pois et me voilà bien loti, ma Lolotte.
Ton message, très drôle, est bien mystérieux ! Tu me laisses dans l'inconnu avec ton « idée folle », j'aimerais en savoir plus, éclaire-moi…
Je t'embrasse,
Armand.

*

10 mai, 19:09

Cher Armand

Je relis en ce moment ton dialogue avec Édouard Plessis. Tu sais combien j'admire ses découvertes sur le fonctionnement du cerveau. Mais j'avoue que j'aime aussi ton scepticisme. Il semble difficile de penser que la connaissance, purement matérielle, plus approfondie du cerveau, nous permettra de pénétrer ses secrets, ne serait-ce que ceux de la conscience. Il ne faut pas que l'on confonde le *hardware* et le *software*. La programmation du cerveau joue le rôle essentiel plus que sa réalisation matérielle. Ce qui fait l'originalité d'un être, j'irai même jusqu'à dire son existence, ce n'est pas son incarnation, mais le schéma qui l'organise. On sait, bien sûr, grâce à la biologie, que chacune des cellules de notre corps, à peut-être quelques exceptions près, meurt et est remplacée par d'autres en un temps relativement court. Donc on ne peut pas dire que notre corps ait une permanence matérielle quelconque. Seule l'organisation, le schéma, a une permanence véritable. J'en conclus, si tu veux, qu'il n'y a pas d'impossibilité a priori pour que justement ce schéma soit codable et transmissible par d'autres moyens que le transport pur et simple de l'être physique… Dis-moi ce que tu en penses ! Franchement, c'est important pour moi d'avoir ton opinion.

Salut, Ciao,

Charlotte.

*

17 mai, 21:46

Chère Charlotte,

Merci pour ton message. J'ai du mal à me persuader que, à elle seule, l'architecture des connexions

cérébrales suffise à déterminer le fonctionnement du cerveau. Je sais, bien sûr, que cette architecture, extrêmement complexe, est le fruit d'un long processus de sélection, mais je pense que tu auras du mal à convaincre qu'il n'y ait pas « autre chose ». Que sais-je, le cerveau obéit aux influences chimiques, hormonales… et celles-ci ne sont pas aussi faciles à coder que l'architecture dont tu parles. Ton matérialisme est trop réducteur. Je suis assez stressé par mon travail en ce moment et cela limite mes facultés d'adaptation à des idées vraiment nouvelles comme les tiennes. En plus, j'ai accepté il y a un an d'aller faire une série de conférences au Chili et de participer dans la foulée à une randonnée de neuf jours dans le désert d'Atacama. Je serai donc injoignable quelque temps.
Je t'embrasse,
Armand.

*

18 mai, 19:09

Cher Armand,

Quel contretemps, ce voyage, tu aurais pu me prévenir et en plus tu ne seras pas joignable, zut alors ! De mon côté, je nage en plein doute, j'hésite devant les retombées de mon idée folle. Je me sens bien seule et abandonnée dans ce moment crucial.
Bon voyage quand même !
Charlotte.

Parmi les nombreux autres messages, seuls trois attirent l'attention du commissaire, à commencer par un message collectif, envoyé à tous les membres du Cern, par un certain Minos.

20 mai, 12:00

Arrogance, forfanterie, grossièreté, orgueil : vous, membres du Cern, en êtes remplis. Je suis Minos, vous êtes des minus. Quand me reconnaîtrez-vous comme le seul, l'unique, quand cesserez-vous de m'envier ? Je suis chaque jour parmi vous et aucun d'entre vous ne me voit... Un jour, un jour, je me vengerai de votre indifférence, je mangerai de la Charlotte, je vous le promets. Dieu seul me guide et vous maudit.
Moi Minos, l'unique.

*

20 mai, 13:00

Ma chère Charlotte,

Tu as dû recevoir comme moi le message collectif, ce parano de Hödhr a encore une crise, j'espère que tu restes cool.
J'ai une bonne nouvelle : on m'a donné le contrôle complet du détecteur Atlas pour la fin de la période de décontamination.
Bon courage,
Francesca.

*

```
20 mai, 15:00

Ma chère Francesca,
Super que tu aies le « full control » ! Quant à
Hödhr, je suis contente que tu l'aies débusqué,
quel triste individu ! C'est sûrement lui qui,
depuis longtemps, me pourrit la vie !
Charlotte.
```

Duparc est perplexe :

– C'était bien Hödhr qui lui empoisonnait la vie ! Son idée folle ? Va savoir... Que vient faire Atlas là-dedans ?

CHAPITRE 14

Le triomphe de Monteverdi

Le commissaire, tout au long de sa carrière, a déjà eu sous les yeux bien des courriels de factures variées. Mais ceux qu'il vient de lire sont inhabituels, c'est le moins que l'on puisse dire. Son respect pour Charlotte en est accru. Mais *quid* de l'enquête ? Il peut tout juste conclure que Hödhr est plus perturbé, donc plus dangereux, qu'il ne l'avait imaginé.

Il entend des pas précipités dans le couloir. Dix secondes plus tard, c'est une vraie cavalcade. Que se passe-t-il ?

Sortant du petit salon où il travaillait, il constate une curieuse effervescence. Hommes et femmes courent, tous dans la même direction. Il se joint, plus posément, au mouvement général et aboutit bientôt à la salle de contrôle du LHC*, immense, qui abrite quantité d'écrans reliés au grand ordinateur central du Cern. Cent à cent cinquante personnes y sont déjà rassemblées, debout, et la foule grossit rapidement.

Il doit y avoir un meneur car une voix sonore, bizarre, domine le brouhaha. Peu à peu, tout le monde se tait, mais la voix continue. Elle répète en boucle le même message :

– Des informations essentielles vont être diffusées. Tenez-vous prêts à agir, chacun dans son domaine de compétence.

– Mais qui parle ? chuchote le commissaire en s'adressant à son voisin le plus proche.

Celui-ci se contente de montrer du doigt le fond de la salle.

Duparc voit Francesca qui entre, essoufflée. Il rejoint la directrice et répète sa question.

– L'ordinateur, dit-elle.

– Eh bien, quoi, l'ordinateur ?

– C'est lui qui parle.

Duparc reste abasourdi quelques secondes. Puis il se dit qu'on est au Cern, pas tout à fait sur Terre, et que l'on doit s'adapter. Il s'adapte.

Vers 20 heures – il y a maintenant plus de trois cents personnes dans la salle de contrôle –, l'ordinateur délivre son deuxième message. Ce message électrise la foule, et pour Duparc c'est comme un coup de poing à l'estomac ; il doit s'appuyer au mur. La voix est montée d'un cran :

– Nous allons nous occuper de Mme Dempierre, dont le corps est plongé depuis lundi dernier dans

Salle de contrôle du LHC.

l'hélium liquide. Les ingénieurs compétents vont transporter le conteneur d'hélium au centre de pressurisation.

L'ordinateur se tait. Francesca, qui prend la direction des opérations, fait l'appel des collaborateurs dont elle a besoin et donne des ordres. La foule voudrait bien assister au transfert, mais celui-ci doit s'opérer dans un des tunnels, et trente personnes seulement sont autorisées à utiliser l'ascenseur. Sécurité oblige. Des protestations se font entendre, mais à ce moment un écran géant de télévision s'allume sur un mur de la salle de contrôle du LHC. Francesca annonce qu'il retransmettra en direct les images de ce qui va se passer dans le tunnel.

Le calme revient.

Le transfert dure une demi-heure. Puis l'ordinateur reprend la parole. Il s'adresse encore aux ingénieurs.

– Vous allez procéder au réchauffement très lent, presque adiabatique, du corps, en suivant mes directives et la fonction mathématique que j'ai calculée, jusqu'à la température de 35 °C…

Un long soupir d'étonnement monte, à l'unisson, dans la salle de contrôle.

– … jusqu'à la température de 35 °C, en utilisant le matériel que Mme la directrice va vous indiquer.

Francesca s'affaire et le processus annoncé se met en route. Il est 21 heures. Vers minuit, la foule des spectateurs s'est dispersée, mais personne ne travaille. Les uns discutent dans une des salles adjacentes ; d'autres voulant échapper à l'emprise de l'ordinateur vont répandre les nouvelles, ce qui provoque encore une vague de curieux. Quelques journalistes commencent à apparaître ; puis ce sont des caméras de télévision dont les opérateurs, frustrés, en sont réduits à filmer… l'écran de télévision.

Duparc a réuni ses adjoints, malgré l'heure tardive, dans le petit salon. Il prévient sa hiérarchie de la tournure des événements. L'avenir, l'avenir immédiat, est tellement incertain qu'il ne reçoit aucune instruction, si ce n'est, bien sûr, celle d'observer et de transmettre les informations.

À 1 heure du matin, le réchauffement est terminé. L'ordinateur se contente d'une brève annonce :

– Phase trois : chirurgie crânienne.

Sur l'écran, on voit de nouveaux appareils, dont des lasers, glisser automatiquement dans les couloirs et se grouper autour du lit sur lequel Charlotte est allongée. Francesca et les ingénieurs ont disparu. Bien qu'il n'y ait plus aucune présence humaine auprès de la patiente et que les outils chirurgicaux semblent s'activer par magie, le spectacle suggère invinciblement qu'un être se penche, évalue les difficultés, travaille avec minutie, avec angoisse – oui, avec angoisse. Qui ? Une seule réponse possible : l'ordinateur lui-même.

Chacun se préoccupe, non seulement du sort de Charlotte, mais de son propre destin. Car il est devenu évident que l'homme n'est plus le maître, ou en tout cas qu'apparaît un compétiteur avec lequel il faudra désormais compter.

Vers 7 heures du matin, les dernières sutures, les derniers pansements sont terminés. Charlotte est remontée par les ascenseurs au niveau du sol, mais bien entendu pas en salle de contrôle. Elle est allongée dans l'infirmerie du Cern, sous la surveillance d'une demi-douzaine de médecins et d'infirmières convoqués par Francesca. L'ordinateur annonce :

– Phase trois réussie. Dernière phase.

Et il s'adresse désormais aux médecins. Ceux-ci se voient intimer l'ordre d'injecter à Charlotte différents produits qu'ils connaissent bien mais qu'ils n'auraient jamais pensé utiliser dans un cas pareil. L'ordinateur leur demande de lui installer une sonde transœsophagique. L'atmosphère est telle qu'ils ne songent pas à discuter.

La foule s'entasse maintenant dans la salle de contrôle, mêlant chercheurs, administrateurs, journalistes, cinéastes… et membres du service d'ordre. Un léger murmure, continu, se fait entendre. La télévision retransmet la scène qui se déroule dans l'infirmerie.

À 10 heures, les cloches de l'église et du temple de Meyrin sonnent. C'est dimanche. Dans l'infirmerie…

Dans l'infirmerie, les médecins et les infirmières se regardent, ils ressentent une « présence »… La sonde signale que le cœur de Charlotte recommence à battre, faiblement, seules quelques impulsions électriques… Une dizaine de battements par minute dans les instants qui suivent. Puis la pression sanguine commence à se reconstruire, on donne à Charlotte de l'oxygène, elle recommence à respirer… Les médecins, les infirmières n'en reviennent pas.

Dans la salle de contrôle du LHC, la foule voit les écrans médicaux qui s'animent. Elle comprend. Le silence est absolu. Certains tombent à genoux, d'autres pleurent.

L'ordinateur, lui aussi, réagit… à sa manière. Il prononce ses derniers mots :

– J'abandonne les rênes. Mon programme va s'autodétruire puisque Mme Dempierre est revenue à la vie.

À 11 heures, le rythme cardiaque de Charlotte est normal. Elle se lève, et personne ne songe à l'en empêcher. Elle entre lentement dans la salle de contrôle, monte sur une petite estrade et déclare :

– Oui, c'est bien moi, Charlotte Dempierre. Je suis ressuscitée.

Une formidable explosion d'enthousiasme la salue. Nul n'entend les mots que Charlotte murmure alors pour elle-même :

– *Sono tornata.* Je suis revenue.

CHAPITRE 15

Maintenant l'apocalypse*

Le lendemain, à peine remise, Charlotte doit faire face à la meute de journalistes qui veut tout savoir sur son aventure. Francesca a organisé une conférence de presse dans le grand auditorium, bâtiment 40, du Cern, avec elle-même, Ali, et bien entendu Charlotte comme orateurs. Charlotte est la première à prendre la parole :

– Mon exposé comportera quatre parties.

C'est en rentrant de Venise, il y a exactement six mois, que j'ai éprouvé une sorte d'illumination, le mot n'est pas trop fort. Le trajet Venise-Genève est riche en beaux paysages dont je m'étais régalée avant de m'endormir. Ensuite je somnole en laissant mon esprit vagabonder. Peu après que le train eut franchi la frontière suisse, j'aperçois une série de rochers énormes, en équilibre instable, le long d'un flanc de montagne. L'un d'eux attire mon attention. Sa forme évoque irrésistiblement celle

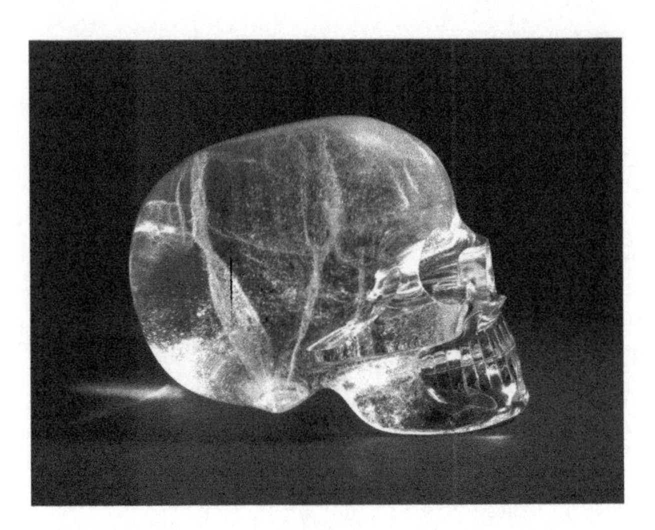

Crâne de cristal, British Museum, Londres.

(The British Museum/©The Trustees of the British Museum.)

du cerveau humain et sa couleur est semblable à celle du marbre des neuf suaires dont la vue m'avait frappée la veille en visitant, à la Punta della Dogana, l'exposition *Éloge du doute*.

Alors une sorte de décharge électrique me traverse, ce que j'appelle mon illumination. En effet, c'est une idée folle qui me vient sans crier gare : *se pourrait-il que tous les éléments soient réunis pour tenter l'expérience suivante : prendre l'empreinte précise de tous les détails d'un cerveau humain ?*

Comment cette idée avait-elle germé dans mon esprit ? Je ne saurais vous l'expliquer en détail. Elle devait faire antichambre depuis longtemps dans mon subconscient. Il faut dire qu'avant de me tourner vers la physique, j'ai fait des études poussées de biologie moléculaire. Tous les savants ont des lubies qui n'attendent que l'occasion de se concrétiser. Me viennent alors les réflexions suivantes.

Après tout, les détecteurs du Cern avec leurs chambres multifilaires sont des instruments d'une précision incroyable qui ont, grâce à leur liaison directe avec les ordinateurs, la capacité d'engranger une information colossale de l'ordre de milliers d'hexabyts. Ils sont en ce moment à l'arrêt, à cause de l'accident qui vient de se produire. Comme les réparations vont durer longtemps, il y a une petite chance que l'on puisse utiliser l'un d'entre eux à d'autres fins. Je sais depuis la veille que Francesca Rocca, mon amie proche, va être nommée directrice du Cern. Puisqu'elle sera aux commandes, Francesca va contrôler les opérations. Certes, il faudra la convaincre, mais ce sera un jeu d'enfant : elle aussi est une vraie chercheuse, prête à s'enflammer pour une expérience passionnante.

Charlotte se tourne vers la directrice souriante, puis elle reprend.

– L'expérience serait magnifique. Elle conjuguerait le pouvoir colossal du réseau d'ordinateurs du monde entier (la *grille de calcul* qui est à la disposition du Cern), celui des réseaux de neurones qui ont été mis au point pour la physique des particules et, enfin, les données d'une précision phénoménale que l'on obtiendrait grâce au détecteur à partir d'un *véritable* cerveau humain. J'envisage avec exaltation cette possibilité.

Charlotte s'octroie une légère pause pour avaler un verre d'eau et permettre aux auditeurs de tousser tout à leur aise, comme au concert entre deux pièces. Après avoir constaté que les journalistes dédaignent cette opportunité avec élégance, elle enchaîne, sentant une impatience intense, une curiosité d'un type nouveau, mêlée d'inquiétude :

– Je passe à la deuxième partie. Recueillir des données cérébrales à l'aide d'un détecteur… Facile à dire, mais cela nécessitait des méthodes invasives. Il fallait introduire très brièvement dans le cerveau un instrument capable d'émettre, de manière ultraprécise, des particules élémentaires dans toutes les directions. La meilleure méthode, ou plutôt la moins mauvaise, semblait être d'utiliser une aiguille extrêmement fine, munie de plusieurs émetteurs strictement « ponctuels », qui traverserait le plus rapidement possible l'intérieur du cerveau, guidée par le champ électromagnétique des énormes électroaimants. Même en évitant de percer les zones les plus vitales, l'expérience était risquée… très risquée. Le traumatisme était inévitable. En fait, le cobaye avait neuf chances sur dix de perdre la vie. Il est vrai qu'alors le public scientifique, et même le public en général, serait convaincu : on croit les témoins qui se font égorger. En revanche, tout essai moins poussé, donnant seulement des résultats partiels, ne susciterait que méfiance, scepticisme, voire ricanements.

Ce cobaye, je l'ai compris tout de suite, ne pouvait être que moi-même. Et il devenait urgent de prendre une décision : la période de décontamination touchait à sa fin et bientôt il serait trop tard. À ce moment de mes réflexions, je me suis sentie bien seule. L'image des neuf suaires me revenait à l'esprit ; allongés sur le sol, ils paressaient, tellement froids, immobiles. Le Calvaire* était devant moi, il fallait le gravir.

En fait, je savais que mon cerveau survivrait, en un certain sens : il serait « faxé » grâce au détecteur, et serait le point de départ du réseau de neurones qui prendrait le relais. Donc, de ce côté-là, un espoir était permis. Mais qu'en serait-il de mon être physique ? À la réflexion, je pouvais m'arranger pour que mon corps soit conservé dans des conditions de cryogénie telles que le temps ne l'altère pas de manière irréversible. Après tout, un tunnel du Cern est vraiment le « lieu » des basses températures. On y dispose de tous les outils nécessaires pour refroidir jusqu'à trois degrés kelvin, et même jusqu'à des températures inférieures. Pour m'informer, il m'a fallu de longues heures de recherche documentaire en biologie sur le comportement des cellules aux températures extrêmes. Je dois avouer que, pendant ces recherches, je me suis souvent égayée en créant, à l'intention des futurs enquêteurs, quelques fausses pistes ; pour ma défense, je fais valoir que j'avais vraiment besoin d'un peu de distraction.

Le jour J est arrivé. J'ai avalé quelques analgésiques, je me suis placée où il fallait, et j'ai appuyé sur un bouton. Je n'ai aucun souvenir des quelques secondes qui ont suivi. Dans un instant, je vais aborder la troisième partie, mais laissez-moi me recueillir un moment…

Un journaliste lève la main :

– S'il vous plaît, madame…

Mais des « chut ! » indignés le réduisent au silence.

– Depuis le jour J, mon cerveau est resté inerte, complètement à l'arrêt, alors qu'après avoir enregistré sa configuration grâce au détecteur, le réseau de neurones a eu une activité considérable. Je ne saurais mieux décrire mon état durant cette période que par la formule « Je est un autre ». Je vais maintenant vous raconter l'expérience que j'ai vécue, mon « retour » au cours duquel s'est réalisée, de manière inattendue, la synthèse des deux thèmes qui m'obsédaient depuis des mois :

– d'une part, la vie d'un réseau de neurones ayant un immense potentiel de calcul et qui vient de recevoir l'empreinte précise d'un cerveau humain ;

– d'autre part, l'apparition de l'écoulement du temps que nous connaissons tous, à partir d'un état thermalisé et de la non-commutativité caractéristique du quantique.

Voici mon interprétation, qui restera conjecturale. Je pense qu'au cours de l'opération chirurgicale qui m'a fait renaître, par une technique que nous aimerions tous connaître, l'« autre » m'a fait un immense cadeau. Non content de me rendre la vie, il a implanté dans mon cerveau un réseau programmé à l'avance qui m'a donné accès – pour une fois et une seule – à un monde que je vais essayer de vous décrire. Je vous raconte des souvenirs incroyables car mon cerveau a eu la possibilité de « voir » directement en dimension infinie. Dès que j'ai commencé à profiter de ce pouvoir, je me suis retrouvée comme Alice au pays des merveilles, en pleine féerie métaphysique. J'ai été la spectatrice privilégiée d'un théâtre que je ne peux baptiser autrement que

THÉÂTRE QUANTIQUE.

J'ai eu cette chance inouïe d'expérimenter une perception globale de mon être, non plus à un moment particulier de son existence, mais comme un « tout ».

J'ai pu comparer sa finitude dans l'espace contre laquelle personne ne s'insurge et sa finitude dans le temps qui nous pose problème. Le monde que j'ai pu entrevoir échappait totalement à la décohérence* qui nous fait percevoir la réalité comme classique. J'ai, de manière profondément intuitive, discerné une incroyable « variabilité », d'infinies fluctuations parfaitement réglées dans ce théâtre dont la scène ne peut se représenter autrement que par un concept mathématique que tous les physiciens quantiques manipulent quotidiennement : l'espace de Hilbert*, avec sa géométrie de dimension infinie d'une part, et son caractère imaginaire d'autre part.

Les acteurs du théâtre quantique sont les opérateurs agissant dans cet espace, le domaine de variabilité de chacun étant donné par son spectre.

C'était incroyable, je les ai vus, directement, en dimension infinie...

Silence absolu dans l'auditoire qui vient d'entendre un récit unique, celui d'une femme unique ayant éprouvé dans son corps le « Théâtre quantique ». Certains journalistes pensent déjà au titre de leur article, et plus d'un voit en grosses lettres les mots qui s'imposent : *La Femme quantique.*

– Par ailleurs, cet itinéraire que j'ai suivi, ce transfert que j'ai subi posent en termes peut-être nouveaux l'éternel problème des rapports entre le monde matériel et le monde spirituel. Rassurez-vous, je n'ai pas l'ambition de le résoudre.

Charlotte, très pâle, s'assied puis se relève pour la quatrième partie.

– Maintenant, je vais retracer l'émergence de l'écoulement du temps, tel que nous le connaissons tous, avec le rétablissement progressif de la température de mon corps. La vision globale de la scène quantique s'est estompée, et seuls les acteurs qui respectaient certaines symétries sont restés visibles. Je ne disposais plus que d'une information parcellaire, et l'incompatibilité entre les différents acteurs

Le grand amphithéâtre du Cern.

due à leur non-commutativité s'est transmuée en un mouvement d'ensemble, comme si des danseurs se mettaient à obéir à un rythme bien défini, à suivre un chef d'orchestre invisible, qui les entraînait sans qu'ils puissent résister. J'ai ressenti cette émergence du temps comme une intrusion, source de confusion mentale, d'angoisse, de peur, de dissociation. J'avais l'impression de perdre toute l'information infinie prodiguée par la scène quantique, et cette seule perte m'entraînait irrésistiblement dans le fleuve du temps. Il m'a semblé, sans doute à mesure que s'épuisait le réseau que l'« autre » avait généreusement implanté dans mon cerveau, que je basculais sans retour possible dans ce fleuve. Puis ces sensations pénibles se sont effacées. L'espace ordinaire sembla renaître du quantique par décohérence. Je voyais de plus en plus distinctement une lumière abstraite, à la fois douce et intense, qui m'attirait vers elle. Baignée dans cette lumière, bercée par un carillon de cloches, j'ai retrouvé progressivement mes sensations et me suis laissé envahir par un bien-être indescriptible. Je renaissais.

Voilà, j'ai terminé. Merci.

Peu à peu, le public, ébloui par ces révélations, partagé entre incrédulité et admiration devant le courage de cette femme, retombe sur Terre. Quelques journalistes, puis tous, applaudissent, se lèvent, acclament Charlotte et lui font une ovation prolongée. Tous la regardent comme une apparition. Elle n'a rien perdu de sa séduction dans les traverses du temps.

On retrouve ses esprits et c'est l'heure des questions. Qui va en prendre l'initiative ? Charlotte, Francesca et Ali attendent, sérieux, disponibles.

Une rédactrice du *Monde* demande à Charlotte :

– Vous allez sans doute trouver ma question indiscrète, mais comptiez-vous sur le soutien de vos proches, les aviez-vous mis dans la confidence ?

– Je ne pouvais pas. Seule Francesca Rocca et, dans une moindre mesure, Ali Razavi étaient au courant. Mais j'ai énormément discuté avec des amis plus ou moins proches, eux-mêmes scientifiques, de questions reliées à l'expérience. Malheureusement, au moment où j'avais le plus besoin de soutien moral, au moment où j'ai pris ma décision, l'un d'entre eux sur lequel je comptais beaucoup, Armand Lafforet, s'est évanoui dans la nature en partant pour une expédition lointaine. C'est vraiment dommage qu'il ne soit pas ici aujourd'hui. En effet, alors que l'expérience elle-même infirme ses idées sur une nature transcendante du fonctionnement du cerveau, en revanche mon immersion dans le théâtre quantique et la réapparition de mon temps propre sous forme thermodynamique confirment exactement les intuitions dont il m'avait longuement parlé.

Question d'un journaliste de *La Croix* à Charlotte :

– Vous vous lanciez dans une épreuve terrible, comment avez-vous surmonté le doute ? Qu'est-ce qui vous a aidée ?

– L'humour ! J'ai toujours essayé de conserver une certaine distance avec la réalité, quelles que soient les circonstances. Au pire moment, vous ne me croirez pas, je ne pouvais m'empêcher de sourire en pensant à une « Charlotte surgelée ».

Grand éclat de rire dans la salle dont l'atmosphère se détend. Charlotte essuie une larme. Francesca suggère aux journalistes de s'adresser à Ali Razavi qui pourra leur décrire le « point de vue de l'ordinateur ».

Question d'un journaliste de *Nature* à Ali :

– Pouvez-vous nous décrire le rôle du réseau de neurones, vous qui avez suivi le fonctionnement des ordinateurs ?

– Le réseau de neurones a, tout en étant modelé par le cerveau de Charlotte, codé aussi ce qu'elle a ressenti pendant la traversée de l'aiguille. En effet, le détecteur n'a pas seulement enregistré une photo, statique, mais bien un film du fonctionnement de ce cerveau au moment où elle expirait. Ensuite, et c'est là le tournant décisif et inespéré, le réseau de neurones a « compris » qu'il s'agissait des derniers moments d'existence de Charlotte. À partir de cet instant, il n'a eu qu'un seul but, qui s'est imposé à lui de manière irréversible : la ressusciter !

– Oui, mais de quels outils disposait-il ?

– Grâce à la grille de calcul qui utilise les ordinateurs du monde entier, le réseau de neurones avait à sa disposition non seulement une puissance de calcul colossale, mais aussi, avec son accès direct à Google, une incroyable panoplie d'expériences humaines. Pendant une période assez longue, le réseau s'est focalisé sur les expériences extracorporelles ; j'ai pu le constater sur Google.

– Vous voulez parler de ces réactions, une espèce de dédoublement, que le cerveau déclenche automatiquement dans les situations de danger imminent ?

– Oui, c'est bien de cela qu'il s'agit, le cerveau déclenche une dissociation entre l'être matériel et un « observateur auxiliaire » qui par essence échappe à la condition humaine. Il semblerait que Charlotte ait ressenti très fortement ce syndrome de dissociation au dernier moment. L'ordinateur a tourné presque pendant une journée pour en comprendre le sens. L'avantage sans doute, du point de vue de la sélection naturelle, est que ce symptôme élimine automatiquement tout l'aspect négatif de la peur ou du stress impliqués par une situation critique, sans pour autant annihiler les facultés de réaction concrète. Simplement il y a prise de décision par un être indifférent à la peur.

– Mais Mme Dempierre n'avait pas à agir, sa décision ayant été prise à l'avance !

– Bien entendu. Mais cela le réseau de neurones ne le savait pas, et il lui a fallu un temps très long pour le comprendre. Ensuite il a facilement retrouvé dans la mémoire de Charlotte le plan qu'elle avait conçu avec Francesca Rocca pour que son corps soit conservé par cryogénie à l'abri de la dégradation naturelle. L'ordinateur s'est alors lancé dans la recherche d'un moyen pour faire revenir Charlotte à la vie.

– Mais personne n'a jamais réussi ce tour de force !

– Exact ! Et c'est un miracle que l'ordinateur y soit parvenu. L'une des difficultés était de ramener son corps à la température normale, mais ceci adiabatiquement. Pour réussir cet exploit, l'ordinateur a dû calculer la manière optimale de procéder. Il a réussi, en faisant appel à toutes sortes d'exemples qu'il a trouvés grâce à Google, et surtout en résolvant un problème mathématique très difficile qui lui permettait de déterminer la courbe qui donne la température en fonction du temps. Une autre difficulté majeure était la remise en route de son cerveau.

Un journaliste de *Pour la science* intervient :

– Cette découverte est-elle applicable en médecine ?

– Oui, cette technique aurait pu être utilisable en médecine. Malheureusement, cette fonction que l'ordinateur a mise au point a été effacée en même temps que l'essentiel de son programme car il avait fabriqué un virus informatique dont le but était l'autodestruction. Il était calculé pour n'entrer en action qu'une fois avéré le retour de Charlotte à la vie.

– Mais pourquoi s'autodétruire ? C'est absurde !

– Cette décision de fabriquer le virus n'a pas été vraiment « consciente » pour le réseau de neurones autant que l'on puisse parler de conscience à propos du fonctionnement de l'ordinateur. Elle a été, je pense, le résultat du fonctionnement de couches plus profondes du réseau, qui sont sans doute la traduction matérielle du subconscient de Charlotte.

– Voulez-vous dire que le subconscient du réseau abritait des tendances suicidaires ? Et que, par conséquent, le subconscient de Mme Dempierre…

Une vague de protestations monte de la salle et interrompt la question du journaliste. Charlotte reste impassible. Ali, troublé, répond dès que le silence est rétabli :

– Il ne s'agissait que d'une hypothèse de ma part, très aventurée, et lancée beaucoup trop légèrement…

Vient ensuite une question pour Francesca.

– Nous avions été habitués à ce que les décisions qui contrôlent les activités du Cern soient prises de manière collégiale ; cette règle de fonctionnement a-t-elle été respectée ?

– Non, cette règle n'a pas été respectée. Normalement, toute expérience effectuée au Cern est contrôlée par le conseil qui est la plus haute autorité et qui a la responsabilité des décisions vraiment importantes. Mais, en l'occurrence, j'ai pris sur moi d'enfreindre cette règle. En effet, je ne voyais pas comment un comité, composé qui plus est de vingt nationalités différentes, aurait pu accepter de donner le feu vert à une expérience incroyablement risquée et insolite comme celle que nous avons tentée. J'assume bien entendu entièrement la responsabilité de la décision illégale que j'ai prise et toutes ses conséquences.

Elle annonce que la conférence de presse est terminée.

Épilogue

Cette révélation du vrai théâtre quantique et ces doutes sur la procédure adoptée ne tardent pas à causer des vagues. D'abord, des vaguelettes, pas très propres. Le président du conseil d'administration du Cern convoque le conseil en urgence et fait voter une motion de défiance envers Francesca Rocca, puis une décision selon laquelle le Cern porte plainte contre elle et Charlotte Dempierre. Francesca démissionne de son poste et la raison de ces manœuvres apparaît aussitôt : neuf membres du conseil sont candidats à ce poste de directeur. C'est Bruxelles qui doit décider ; toutefois, l'avis du conseil joue un rôle important. Bien entendu, les neuf candidats commencent immédiatement à se déchirer.

Une vague plus sérieuse est provoquée par le Vatican. Le pape reste muet, mais deux cardinaux influents font connaître leur opinion. Le premier met en doute la réalité de l'expérience. L'Église, dit-il, réfléchit des années avant d'admettre un miracle contemporain, elle n'acceptera pas une résurrection sans enquête. Le second cardinal, lui, observe que l'Église n'est pas l'ennemie de la science, qu'elle accepte les découvertes de Galilée et même de Newton, mais que là, vraiment, la science va trop loin.

La plainte du conseil d'administration, après discussions, est finalement déposée devant la Cour européenne des litiges. Celle-ci se déclare compétente, juge la plainte recevable, et commence l'instruction du dossier.

Les gouvernements de France et d'Italie prennent fait et cause en faveur de leurs ressortissants. La cour estime cette intrusion intolérable et rend son verdict dans les deux mois : un an de prison ferme pour les deux inculpées.

La presse, unanime, se déchaîne contre le verdict. Diverses institutions scientifiques manifestent leur désapprobation. La vague grossit.

Le Vatican annonce la mise à l'*Index* de toutes les publications du Cern. La vague enfle.

Un responsable militaire de haut rang observe qu'un procédé permettant de ressusciter des morts pourrait être utile. Il demande qu'une commission étudie l'ordinateur central du Cern pour voir si le programme « soi-disant autodétruit » ne serait pas récupérable. Le directeur du Cern (qui a déjà changé deux fois depuis la révélation) se trouve être antimilitariste. Il rejette avec hauteur la suggestion. L'Otan, profondément divisée sur ce problème, est au bord de la rupture.

La vague va-t-elle se transformer en tsunami ?

Quelques jours après, on est en octobre, l'Académie des sciences suédoise annonce qu'un prix Nobel exceptionnel, impliquant informatique, physique et médecine, est décerné conjointement à : « Charlotte Dempierre, Ali Razavi et Francesca Rocca. Pour l'avancée spectaculaire réalisée par l'expérience qu'ils ont menée à bien au Cern au cours de la récente période de réparation de l'accélérateur. »

Le comité Nobel explique sa décision : « L'expérience réalisée par ces trois scientifiques fournit une vérification indubitable du potentiel d'un réseau de neurones exploité grâce à la grille informatique et nourri par la configuration matérielle des connexions neuronales d'un véritable cerveau humain captées par un détecteur de particules. Cela a permis de simuler avec succès les fonctions cérébrales les plus subtiles, y compris celles liées à la survie et, par là même, de montrer l'indépendance entre la structure mentale d'un être humain et sa fragilité matérielle.

« Charlotte Dempierre est récompensée pour avoir eu l'idée novatrice de l'expérience et avoir fait preuve d'une intrépidité qui force l'admiration en se dévouant pour en être le cobaye. Cette chercheuse a su renouer avec la longue tradition des scientifiques prêts à sacrifier leur vie pour faire valoir leurs idées.

« Francesca Rocca a osé prendre l'initiative de transgresser les règles de sécurité du Cern, bien connues pour leur sévérité. Elle a inventé un mécanisme de physique nucléaire permettant d'obtenir une source radioactive adéquate pour enregistrer les connexions cérébrales d'un cerveau humain en utilisant le détecteur Atlas en tant qu'instrument d'exploration médicale. Tout cela sans que l'expérience n'occasionne de dégât majeur ni à l'anneau de collisions ni au détecteur.

« Ali Razavi a su adapter les programmes informatiques des réseaux de neurones à l'infinie complexité des connexions du cerveau humain dans lequel des milliards de neurones possèdent chacun des dizaines de milliers de connexions. Il a exploité la vacance d'activité de la grille de calcul – pendant la période de réparation de l'anneau de collisions – pour effectuer la mise en œuvre d'un réseau de neurones gigantesque impliquant les ordinateurs du monde entier. Il a utilisé comme point de départ les données enregistrées dans les grands ordinateurs du détecteur Atlas ayant pris l'empreinte des connexions cérébrales de Charlotte Dempierre.

« Cette chercheuse a fait un récit chronologique de son expérience atemporelle et de son vécu du temps quantique et a livré un témoignage unique sur la nature de l'écoulement du temps.

« Cette expérience apporte une contribution cruciale à une question métaphysique et sociétale bien connue : celle de la transition d'une civilisation individualiste faite de personnes libres et indépendantes les unes des autres – du moins dans le meilleur des cas – à une organisation globale qui transcende l'individualité et dont on commence à entrevoir quelques signes avant-coureurs. Parmi ceux-ci la mémoire de Google et l'œil de Hubble peuvent être conçus, à l'échelle planétaire, comme analogues des attributs individuels que sont la mémoire et la vue. Cette expérience pose plus de questions qu'elle n'en résout, aucune conclusion ne semble s'imposer, excepté la nécessité de constituer un comité d'éthique dont l'organisation ne saurait tarder.

« Le comité Nobel espère fermement que Sa Majesté le Roi de Suède pourra remettre le prix en mains propres aux lauréates et lauréat lors de la cérémonie de Stockholm. »

La Cour des litiges se déclare scandalisée. Les avocats de Francesca et Charlotte présentent une demande de libération provisoire. La réponse se fait attendre. La justice, on le sait, marche le plus souvent d'un pas de sénateur.

Bibliographie

A. Aspect, P. Grangier, G. Roger, « Experimental realization of Einstein-Podolski-Rosen-Bohm Gedanken experiment », *Physical Review letters,* 1982, 49, p. 91-94.

A. Aspect, P. Grangier, F. Grosshans, V. Jacques, J.-F. Roch, F. Treussart, E. Wu, « Experimental realization of Wheeler's delayed choice Gedanken experiment », *Science,* 2007, 315, p. 966-968.

A. H. Chamseddine et A. Connes, « Resilience of the Spectral Standard Model », *JHEP*, 2012, 104.

S. Coleman, http://media.physics.harvard.edu/video/?id=Sidney Coleman_QMIYF.

A. Connes, « Une classification des facteurs de type III », *Ann. sci. École norm. sup.*, 1973, 6 (4), p. 133-252.

A. Connes et C. Rovelli, « Von Neumann algebra automorphisms and time-thermodynamics relation in generally covariant quantum theories », *Classical Quantum Gravity*, 1994, 11 (12), p. 2899-2917.

B. Gaasbeck, « Demystifying the delayed choice experiment », arXiv:1007.3977.

J. W. von Goethe, *Les Souffrances du jeune Werther*, Paris, Gallimard, « Bibliothèque de la Pléiade », 1954.

S. Haroche, J. M. Raimond, *Exploring the Quantum, Atoms, Cavities and Photons,* Oxford, Oxford University Press, 2006.

W. Heisenberg, *La Partie et le Tout*, Paris, Flammarion, « Champs sciences », 2010.

Hésiode, *La Théogonie*, traduction Paul Mazon, Paris, Les Belles Lettres, 1928 ; rééd. 2002.

É. Klein, J. Perry-Salkow et D. Mary, *Anagrammes renversantes ou Le sens caché du monde*, Paris, Flammarion, 2011.

J. Milton, *Le Paradis perdu*, traduction de N. F. Dupré de Saint-Maur, Paris, 1767, livre II.

C. Rovelli, *Et si le temps n'existait pas ? Un peu de science subversive*, Paris, Dunod, 2012.

Virgile, *Les Géorgiques* (IV), traduction de M. Legrand, *in* M. Legrand, *L'Âme antique*, Paris, Armand Colin, 1896.

Glossaire

1984 : *1984* est un roman d'anticipation de George Orwell paru le 8 juin 1949 qui évoque avec force la déshumanisation menaçant notre monde exposé aux dangers du totalitarisme. Le personnage principal, Big Brother, est devenu une figure métaphorique de la société de la surveillance et de la délation.

Agité du bocal : Qualificatif employé par Céline, en exil, pour désigner Jean-Paul Sartre.

Apocalypse : Étymologiquement, le mot « apocalypse » est la transcription d'un terme grec signifiant « dévoilement ».

Apps : Logiciels d'applications pour iPhone.

Bain thermique : Un bain thermique est idéalement un réservoir infini d'énergie thermique à température constante. En pratique, il s'agit d'un système thermodynamique ayant une capacité calorifique suffisante pour que, lors d'un contact thermique avec un autre système, sa température reste presque constante.

Big Broson : Boson scalaire hypothétique, considéré en particulier dans (Chamseddine et Connes, 2012), dont la masse serait de l'ordre d'un milliard de fois celle du boson de Brout-Englert-Higgs, et qui serait responsable pour l'échelle des masses de Majorana des neutrinos. Dans ce livre, il apparaît sous un nom d'emprunt provocateur par référence à Big Brother.

Boson : Les bosons sont une classe de particules en mécanique quantique qui obéissent à la statistique de Bose-Einstein. Un postulat fondamental de la physique quantique est que la fonction d'onde d'un ensemble de bosons est une fonction symétrique par rapport à l'échange de particules identiques.

Brisure : de symétrie On dit qu'il y a brisure de symétrie quand un état d'équilibre d'un système mécanique ne vérifie pas la même invariance par symétries que les lois physiques qui gouvernent le système. Un exemple de brisure spontanée de symétrie est celui du jeu de roulette : une fois la bille arrêtée, la symétrie par rotation est brisée, sans que le système – le jeu de roulette – soit asymétrique.

Calabi-Yau : E. Calabi et S. T. Yau sont deux mathématiciens ayant donné leur nom à une classe particulière de variétés complexes utilisée en géométrie algébrique et en physique théorique.

Calvaire : Nom d'origine latine (*calvarium*) désignant le lieu du crâne – Golgotha en hébreu. La présence d'ossements et de crânes sous la colline où les Romains crucifiaient les condamnés explique sans doute l'origine du mot.

Cern : Conseil européen pour la recherche nucléaire. L'organisation fut établie en 1952 dans la commune de Meyrin, à la frontière franco-suisse. Vingt États européens en font partie. L'usage s'est répandu de traduire l'acronyme par « Centre européen de recherche nucléaire ».

Chambre multifilaire : Détecteur de particules se présentant sous la forme d'une chambre remplie d'un gaz et de plusieurs grilles composées d'un grand nombre de fils formant un réseau bidimensionnel. Toutes les grilles sont sous tension et empilées en alternant les cathodes et les anodes.

Champ gravitationnel : Le champ gravitationnel est un champ vectoriel qui décrit l'effet de la force gravitationnelle. En théorie newtonienne, ce champ dérive d'un champ scalaire nommé potentiel gravitationnel.

Complétude : Qualité d'une théorie déductive consistante.

Constante de gravitation : Constante physique qui intervient dans la loi de Newton, qui énonce que la force d'attraction entre deux corps massifs est proportionnelle au produit de leurs masses, et inversement proportionnelle au carré de la distance qui sépare leurs centres de masse.

Couplage quantique : La constante de couplage de deux systèmes mécaniques caractérise leur dépendance l'un à l'autre. En théorie quantique des champs, l'intensité de l'interaction entre particules dépend de constantes de couplage. Celles-ci sont en fait des fonctions du niveau d'énergie impliqué dans l'interaction.

Décohérence : On démontre mathématiquement que l'interaction d'un système quantique avec un système ayant un grand nombre de degrés de liberté provoque par déphasage la disparition des états quantiques superposés et rend compte de l'apparence classique des états quantiques interagissant avec l'environnement. Des expériences physiques qui corroborent cette théorie ont été réalisées par S. Haroche et son équipe.

De cujus : L'expression latine est *Is de cujus successione agitur*, elle désigne celui dont la succession est examinée.

Diagrammes de Feynman : Les diagrammes de Feynman donnent une représentation graphique des termes dans le développement perturbatif d'une amplitude de diffusion.

Dieu Hödhr : Hödhr était un dieu aveugle dans la mythologie nordique. Trompé par Loki, il tue son frère Balder avec une flèche de gui.

Espace de Hilbert : Le concept mathématique d'espace de Hilbert généralise celui d'espace euclidien en autorisant l'espace vectoriel à être de dimension infinie. L'application à la mécanique quantique utilise l'espace de Hilbert complexe.

Expérience de pensée : Schéma expérimental fictif permettant de tester par la pensée la cohérence d'une théorie physique. Les expériences de pensée ont joué un rôle crucial dans le développement de la mécanique quantique au début du XXe siècle. Un grand nombre d'entre elles ont été matériellement réalisées depuis et ont toutes confirmé les prédictions de la théorie quantique, tout en ouvrant de nombreux domaines d'applications (voir A. Aspect *et al.*, 1982, et S. Haroche et J. M. Raimond, 2006).

Expérience du choix retardé : Schéma expérimental dans lequel le choix de mesurer l'un ou l'autre de deux aspects complémentaires d'un phénomène quantique est fait après que le phénomène a eu lieu. Cette expérience était d'abord une expérience de pensée, mais a depuis été réalisée et les résultats ont confirmé les prédictions de la mécanique quantique (A. Aspect *et al.*, 2007).

Feynman : Selon Feynman, l'amplitude de probabilité d'une configuration classique est donnée par l'exponentielle imaginaire de l'action classique calculée en unité de Planck. Ce sont ces amplitudes de probabilité qui s'ajoutent lors de la superposition d'états. Leurs valeurs absolues élevées au carré donnent les probabilités.

Google Maps : Google Maps est un service sur le Web, opéré par Google, qui offre des plans de rue, des itinéraires pour des trajets à pied, à vélo, en voiture ou en transports publics, ainsi qu'un service de géolocalisation.

Grianta : En réalité Griante, localité sur le lac de Côme où se situe l'embarcadère de Cadenabbia. On y prend le *traghetto* pour Varenna. Dans *La Chartreuse de Parme*, Griante devient Grianta. Une partie de l'intrigue du roman s'y déroule.

Groupe de Lie : Un groupe de Lie est un groupe sur lequel la notion de différentiabilité a un sens.

Hadron : Terminologie désignant une particule formée de quarks et régie par l'interaction forte. Elle a été introduite par L. Okun en 1962, par opposition aux leptons qui sont des particules régies par l'interaction faible.

IHÉS : L'Institut des hautes études scientifiques est un centre de recherche sur les mathématiques, la physique et la biologie, situé à Bures-sur-Yvette, dans les environs de Paris. Il fut fondé par Léon Motchane en 1958, avec l'aide de Jean Dieudonné, et sa réputation internationale a été établie très tôt, en particulier grâce aux travaux révolutionnaires en mathématiques d'Alexandre Grothendieck qui en fut l'un des premiers membres permanents.

Intrication quantique : Phénomène quantique impliquant plusieurs particules spatialement séparées dans lequel l'état du système implique des corrélations entre les observables individuelles. Une mesure faite sur l'une des particules semble influencer instantanément l'état du système, mais cela ne permet pas de transmettre de l'information plus vite que la vitesse de la lumière. Ce phénomène est utilisé pour réaliser la téléportation.

Invariance de Lorentz : Dans le cadre de la relativité restreinte, une quantité physique est dite invariante de Lorentz lorsque sa valeur est inchangée par les transformations de Lorentz. Celles-ci font partie du groupe de Poincaré et sont apparues dans l'étude des équations de Maxwell.

KeePass : Logiciel de cryptographie permettant de conserver des mots de passe à l'abri des intrusions.

Laser : Le laser est un exemple fondamental d'invention basée sur la physique quantique. C'est un appareil d'amplification de la lumière par émission stimulée de rayonnement, qui produit une lumière monochromatique cohérente. Il est utilisé dans les domaines des télécommunications, de la spectroscopie, de la médecine, etc.

LHC : Le Large Hadron Collider est un accélérateur de particules utilisant des supraconducteurs, mis en service le 10 septembre 2008, situé dans un tunnel circulaire de vingt-sept kilomètres de longueur à environ cent mètres de profondeur moyenne. Quatre détecteurs principaux, Atlas, Alice, CMS et LHCb, observent les collisions entre hadrons.

Matière noire : La matière noire désigne une matière, jusqu'à présent non identifiée, invoquée en astrophysique pour rendre les observations compatibles avec la théorie de la gravitation.

Modèle standard : Le modèle standard de la physique des particules est une théorie qui décrit l'ensemble des particules élémentaires qui constituent la matière ainsi que les interactions forte, faible et électromagnétique.

Moment : En mécanique classique, le moment (ou quantité de mouvement) d'un point matériel de masse m animé d'une vitesse v est défini comme le produit mv de la masse par la vitesse.

Neutrino :	Le neutrino est un fermion, c'est une particule élémentaire du modèle standard de la physique des particules. Il en existe trois saveurs : électronique, muonique et tauique.
Observable :	Une quantité observable en mécanique quantique est formalisée mathématiquement par un opérateur agissant sur les vecteurs d'un espace de Hilbert.
Picoseconde :	Un millionième de millionième de seconde.
Postdoc :	Chercheur venant d'obtenir sa thèse de doctorat. Le Cern offre un séjour de deux années aux postdocs en physique théorique. Dans les cas exceptionnels, ce séjour peut être prolongé à six années.
Problème du voyageur de commerce :	Le problème du voyageur de commerce consiste, étant donné un ensemble de villes séparées par des distances données, à trouver le plus court itinéraire qui passe par chacune d'entre elles.
Quadripôle :	Un quadripôle est une partie d'un réseau électrique compris entre deux paires de bornes d'accès.
Réduction du paquet d'onde :	La réduction du paquet d'onde est un concept de la mécanique quantique selon lequel, après une mesure, un système physique voit

son état entièrement réduit à celui qui a été mesuré.

Relativité générale : La relativité générale est une théorie relativiste de la gravitation qui supplante la théorie de la gravitation universelle d'Isaac Newton. Elle utilise le cadre mathématique de la géométrie de Riemann et est fondée sur le principe de covariance générale qui étend le principe de relativité restreinte aux référentiels non inertiels.

Relativité restreinte : La relativité restreinte est fondée sur le principe d'invariance des lois de la physique par un groupe, appelé groupe de Poincaré, qui est une déformation du groupe des transformations galiléennes. Ce groupe est apparu comme groupe d'invariance des équations de Maxwell. En relativité restreinte, la vitesse de la lumière est une constante fixe indépendante du mouvement de la source d'émission.

Superposition : Un état d'un système quantique est décrit par un vecteur (à homothéties près) dans l'espace de Hilbert. La superposition des états correspond à l'addition des vecteurs. Dans l'exemple le plus simple d'un système de spins, les superpositions des deux états correspondant aux spins verticaux de valeurs ± ½ forment une sphère de dimension deux appelée sphère de Bloch.

Synapse :	La synapse désigne une structure qui permet de transmettre un signal électrique ou chimique entre deux neurones, ou entre un neurone et une autre cellule.
Temps quantique :	Le temps quantique dont il s'agit ici a une signification mathématique très précise qui remonte à la thèse d'Alain Connes (1973) dans laquelle il est montré, grâce à la théorie de Tomita-Takesaki, qu'une algèbre d'opérateurs dans l'espace de Hilbert possède un groupe à un paramètre canonique de classes d'automorphismes. Le rôle potentiel de ce groupe en gravitation quantique est exploré dans l'article de Connes et Rovelli (1994).
TeV :	Le téraélectronvolt vaut mille gigaélectronvolts (GeV). Un GeV vaut un milliard d'électronvolts. L'électronvolt est l'énergie gagnée par un seul électron déplacé dans une différence de potentiel d'un volt.
TomTom :	Système de navigation fondé sur le GPS (Global Positioning System) et sur l'optimisation du temps de parcours à partir d'une évaluation des vitesses le long des parcours.
Unitarité :	En mécanique quantique, l'unitarité désigne la compatibilité de l'évolution temporelle de

la fonction d'onde avec l'interprétation probabiliste.

Variable cachée : Le terme de variable cachée désigne des paramètres physiques hypothétiques qui ne seraient pas pris en compte dans la description de la réalité donnée par la mécanique quantique et dont l'ignorance donnerait une explication du caractère probabiliste de celle-ci.

Les ordinateurs actuels (2013) ne peuvent simuler le cerveau humain. Toutefois, ceux de la prochaine génération qui entreront en service dans une dizaine d'années pourront probablement réaliser cette simulation.

Remerciements

à Odile Jacob, Margot Bruyère, Jean-Pierre Changeux, Estelle et Frédéric Connes, Trond Digernes, Édith et Françoise Dixmier, Sergio Doplicher, Nicole Gaumé, Cécile Gourgues, Jeannine et Alain Guichardet, Andrée Lafforet, François Martin, Anne Papillault et Jean-François Dars, Frédéric Pigenet, Carlo Rovelli, Marie-Claude Vergne.

Table

OUVRAGES D'ALAIN CONNES
CHEZ ODILE JACOB

Matière à pensée (avec J.-P. Changeux), 1989.
Triangle de pensées (avec A. Lichnerowicz et M. P. Schützenberger), 2000.

Cet ouvrage a été imprimé
en juin 2013 par

27650 Mesnil-sur-l'Estrée

Cet ouvrage a été transcodé et mis en pages
chez NORD COMPO (Villeneuve-d'Ascq)
N° d'impression : 118676
N° d'édition : 7381-2983-3
Dépôt légal : mai 2013

Imprimé en France